人と数学のあいだ

加藤文元
岩井圭也
上野雄文
川上量生
竹内薫

TRANSVIEW

目次

はじめに

数学を学ぶことは
人間を学ぶこと

加藤文元

第1章 数学することは生きること

加藤文元×竹内薫

第2章

数学と文学の交差点

すべての表現者は孤独か？

加藤文元×岩井圭也

第3章 数学と脳科学

数学者の精神と脳科学の数理

加藤文元 × 上野雄文《たけふみ》

第4章 数学は「役に立つ」のか？

加藤文元×川上量生《のぶお》

はじめに

数学を学ぶことは
人間を学ぶこと

加藤文元

社会の至るところに浸透している数学

この本の内容は、私（加藤文元《ふみはる》）が朝日カルチャーセンター新宿校で行ってきた対談企画での録音がもとになっています。川上量生《のぶお》さんとの対談は２０１７年3月に行われましたが、そのほかのお三方は２０２１年に、竹内薫さん（1月）、上野雄文《たけふみ》さん（2月）、岩井圭也さん（3月）の順に行われました。

私は朝日カルチャーセンターで日頃より数学の講座を担当しておりました。ですので、これらの対談企画も、数学を中心軸にしたものになっています。しかし、その企画の意図は、通常の数学講座のように、数やベクトルや関数などについての技術的な話をすることではありませんでした。むしろ私のモチベーションは、数学と社会との関わりや、数学と人間、数学と創造性など、およそ数学に関連したあらゆることと社会や人間の活動との多角的なつながりに目を向け、それらにクローズアップしていきたいということにありました。

数学というと、非常に抽象的で難しくて、とてもとっつきにくいものという印象を持たれている人も多いと思います。たしかに現代の数学者たちが日々研究しているような数学は極めて高度に抽象的で、技術的にも難しいものが多いのは間違いありません。また、現代数学ほど高度でなくても、高校や大学で教わる数学の中には、すでにかなり抽象的なものも多く含まれています。

しかし、数学は私たちの身の回りの至るところにまで、さらには人と人とのつながりの隅々《すみずみ》にまで浸透しています。それは現代人の社会的活動や毎日の生活のあらゆる側面において、最も重要な基盤の一つになっているのです。そして、数学がこれほど現代を生きる我々に深く関わっている以上、それは本来、人間に極めて身近なものであるはずです。

数学を学ぶことは人間を学ぶことである

私はこれまでにもこのような考えを多くの人に伝えたいと思い、さまざまな機会を利用して活動して参りました。例えば、一般読者向けの本を書いたり、朝日カルチャーセンターのような社会に開かれた場で数学の講座を受け持ったりすることも、その一環です。それらの活動の中で、私が一貫して座右の銘としてきたことは、

「数学を学ぶことは人間を学ぶことである」

ということです。私はこのことは、単なる比喩などではなく、まったく字義通りに正しいことだと信じています。数学にはたしかに現代の科学文明の一翼を担《にな》う高度に技術的な側面もありますが、それと同時に、文化的にも人間の精神を高め、人に喜びを与えるものでもあります。それは音楽や芸術やスポーツや料理やゲームや旅行などのように、一人ひとりの人間が他ならぬ自分たちのために行う人間的活動の一つなのです。

数学を学ぶことは人間を学ぶことです。それはつまり、人間を学ぶことができるくらい、数学というものは奥深くて興味の尽きないものだ、ということでもあります。ベクトルや関数を学ぶことが、どうして人間を学ぶことになるのか、訝《いぶか》しく思う人もいるかもしれません。もしそのように感じられるなら、なぜベクトルや関数などという概念が生まれたの

か？　ということに思いを馳《は》せてみるとよいでしょう。これらの概念も、実は人間が作ったものです。そして、それらはおそらく人間じゃなければ違ったものになっていた可能性が高いと思います。例えば、高い知能を持った宇宙人がいるとすれば、人間とは違った数学を作るでしょうし、彼らの数学にはベクトルや関数はないかもしれません。

これは荒唐《こうとう》無稽《むけい》な話ではありません。現に、何千年にも及ぶ（人間の）数学の歴史において、ベクトルや関数の概念が生まれたのは、非常に限られた時代の限られた地域の数学の中でしかありませんでした。他の地域や時代には、決して生まれることのなかった概念です。そういう意味で、これらの基本的な数学の概念は、すでにそれを考え出した人々の時代や文化的背景を、何らかの形で反映しているのです。すなわちそれらは、それを作った人間がどのように数学を考えていたのか、彼らの精神がどのようになっていたのかを現代に伝える遺跡や化石のようなものなのです。私は以前「数学による考古学というのは可能だろう」（『数学する精神』中公新書）と書いたことがありますが、それはこのような意味でもありました。

ですから、数学というこの壮大な学問体系は、何千年にも及ぶ人間の精神史の集大成です。そうであるからこそ、数学を深く学べば学ぶほど、我々は人間についてより深く知ることができるはずです。

数学を楽しむということ

実際、数学という学問は本来決して近寄りがたいものではありません。それは我々人間の生活や社会と密接に結びついています。そして、それだからこそ、数学は人を楽しませてくれます。数学することは、本来それだけで楽しいことですし、そうあるべきです。そして数学の楽しさには、数の計算や命題の証明、問題の解法などだけではない、多くの種類があります。

私は以前、エヴァリスト・ガロアというフランスの数学者の伝記を書いたことがあります(『ガロア——天才数学者の生涯』角川ソフィア文庫)が、このガロアという人がフランス革命後の混乱期に生きた政治活動家であったこともあり、また20歳という若さで決闘で死んだという波瀾万丈《はらんばんじょう》な人生を送ったこともあり、その執筆準備のためにはいろいろと調べなければならないことが多くありました。

しかし、当時のパリの社会情勢について調べることは、私にはとても充実した時間でした。19世紀前半のフランスの社会や風俗などについて詳しく調べるために、実際に現地に何度も赴《おもむ》いて調査をしましたし、同時代の小説なども数多く読みました。彼の決闘がパリのどこで行われたのか探るために、カルナヴァレ美術館に通って当時の街路図を詳細に調べたり、実際にその周辺の街を何日も歩き回ったりしたことがありました。そのとき私は、こうやってパリの街をさまよいながら歴史上の数学者の足跡を追い求めることも、まさに数学の楽しみの一つなのだと実感したことを、今でも鮮明に記憶しています。数学の楽しみはとても裾野《すその》が広く、しかも奥深いものです。

数学するとは生きること
——竹内薫さん

数学することの広がりと深み、そしてその楽しみをもっと社会に広めるため、私も非力ながらいろいろさせていただいていることはすでに述べましたが、そういう中で科学ナビゲーターとしても、そして教育家としても活躍していらっしゃる竹内薫さんと対談することができたのは大変すばらしい経験でした。

竹内さんとの対談では、数学とその創造性に関するご自身の経験から話が始まって、ルービックキューブの話や、そもそも数学は人間が作ったものか、それとも自然に存在しているものか？　といった哲学的な話題にまで及んでいます。竹内さんは広く科学のすばらしさや面白さを社会に発信するために、日頃から活躍されているわけですが、そんななかでわざわざお時間をいただき、いろいろと興味深いお話を聴くことができました。対談は「数学するとは生きること」という、深い言葉で締めくくられていますが、これは「数学を学ぶことは人間を学ぶこと」という私の座右の銘とも一貫したものがあると思います。

数学と孤独
――岩井圭也さん

数学するということと「生きる」ということをさらに深く掘り下げたのが、岩井圭也さんとの対談だったと思います。岩井圭也さんは新進気鋭の小説家として大活躍されている方です。2018年に『永遠についての証明』という小説で第9回野性時代フロンティア文学賞を受賞されています。そしてまさに『永遠についての証明』という小説についてのお話から、今回の対談は始まりました。

この小説は、とある天才数学者の孤独がテーマになっています。そこから天才数学者や、もっと一般に表現者の「孤独」について話が及びます。ここはまさに数学と文学の共通項となる、非常に興味深い論点です。私は数学者としての観点から、新しいアイデアは個人からしか生まれないか？　それとも共同でも生み出すことができるか？　という論点を取り上げました。また岩井さんからは作家の孤独について、普段はなかなか聴くことのできない、興味深いお話を伺うことができました。

数学と文学というと、いかにも異分野対談を象徴しているような、それでいて何か深いつながりがありそうな組み合わせだと感じられることでしょう。そして、この対談はまさに「数学と文学」という組み合わせから引き出すことのできる、最も深い部分をテーマにしようとしていたものだと思います。時間の制約や、進行役の私の力量不足もあり、どこまで掘り下げることができたかどうかは分かりませんが、読者にはそこから多くのことを読み取ってもらえるものと思います。

数学と脳

——上野雄文さん

「数学と文学」に続く異分野対談は「数学と脳科学」です。お相手の上野雄文さんは精神科医・脳科学者として活躍されていますが、数学にも非常に造詣が深い方です。

数学も人間の脳が生み出すもので、数学をするとは人間の脳が活動することです。ですから、人間の脳の働きを十分詳細に知ることができれば、数学することがどういうことか、さらに深く分かるかもしれません。逆に、歴史上の数学者の仕事や人間精神の歩みの集大成としての数学は、人間の脳の構造を何らかの形で反映しているかもしれません。さしあたって興味があるのは、数学ができる人の脳は、普通の人とどこか作りに違いがあるのか？　数学の能力を司《つかさど》る脳の部位はあるのか？　といったことです。これについて、上野さんとの対談からは普段は聴けないような、ちょっと驚くべきことを学ぶことができました。

また、私は常々数学するという行為と「見る（視覚）」という行為の間には何らかの関係があるものと感じてきましたし、また数学と言語学との関係などについても肌感覚として感じられることが多くありました。このようなことも上野さんに素直にぶつけてみることによって、いくつも興味深いお話をしていただけました。話はそこから「機械にも数学ができるか」といった数学の創造性にも関係しそうな話題に至り、人間の脳が抽象概念を手に入れるプロセスなどについても話が及びました。

数学と脳には、もちろん何らかの関係があるはずです。しかし、それについて専門家による明確な意見を聴いたことはありませんでした。この対談はそういう意味でも意欲的なものだったと思われますし、読者にとっても興味深いものだと思います。

コンテンツとしての数学
——川上量生さん

最後は株式会社ＫＡＤＯＫＡＷＡ取締役で角川ドワンゴ学園理事でもある川上量生さんとの対談です。私は川上さんとは以前よりＡＩに関する勉強会を一緒にやらせてもらっている関係で懇意にしていただいています。川上さんは数学がことのほかお好きで、しかもただ好きなだけではなく、数学こそ今後の現代人にとって必須の基礎的教養であるというお考えを持っていらっしゃいます。川上さんからは「エンターテインメントとしての数学」という、私にとっては非常に新しい視点について話していただきました。また、数学はビジネスに役立つのか？　という刺激的な話題も取り上げていただいています。そしてその結論は、非常に意外なものです。

数学というと、例えば定量的な計算による精密な結果を出す学問として重宝されることが多いわけですが、川上さんはむしろ図形的・空間的な考え方に基づく定性的な側面こそが、数学の重要な可能性だと言います。幾何学的思考こそが、数学の現実への重要な応用を開くカギだということです。話はそこから物事の「空間化」の効用について、数学の立場とビジネスの立場の両面から展開していくことになります。どのような話になったかは、実際に読んでみてください。

私はこれまで一般向けの数学の本は基本的に単著で書いて参りましたが、今回、四人の方々との対談集を出版することで、それ自体大変勉強になっただけでなく、そもそもこれほど異分野の間を横断するトークができるということ自体が、数学の層の厚みと奥深さを体現していることに気付かされました。社会や人間の生き方と数学の関係には、まだまだ多くの未開拓の側面や未来につながる可能性があるということなのだと思います。本書が多くの読者に数学の身近さと、数学と社会の古くて新しい関係を体感してもらうきっかけとなることを願います。

第１章

数学することは生きること

加藤文元 × 竹内薫

竹内　薫

たけうち・かおる

サイエンス作家。1960年生まれ。

東京大学教養学部教養学科、同大学理学部物理学科卒業。

マギル大学大学院博士課程修了（高エネルギー物理学専攻、理学博士）。

「たけしのコマ大数学科」（フジテレビ）、「サイエンスZERO」

（NHKEテレ）などで科学ナビゲーターとして活躍。

英語・数学・プログラミングを核にしたフリースクール

「YES International School」校長も務める。

主な著書に『99.9%は仮説』（光文社新書）

『超ひも理論とはなにか』（講談社ブルーバックス）、

訳書に『WHAT IS LIFE? 生命とは何か』

（ポール・ナース著、ダイヤモンド社）などがある。

数学とプログラミングとクリエイティビティ

加藤　皆さん、ようこそおいでくださいました。今日は「魅惑の数学世界──数学の楽しさをどう伝えるか」というテーマで、サイエンス作家の竹内薫先生をお呼びして、対談形式というかたちで進めていきたいと思います。

竹内先生はサイエンス作家としてたくさんの本を書かれていて、日本の科学リテラシー向上のために非常にご尽力されています。それだけでなく、「たけしのコマ大数学科」や「サイエンスＺＥＲＯ」などテレビ番組のコメンテーター、ナビゲーターなどもされていますから ご存じの方も多いと思います。

日経新聞では「今週の３冊」という書評コーナーも担当されていまして、非常に読書家でいらっしゃいます。私の『宇宙と宇宙をつなぐ数学』（ＫＡＤＯＫＡＷＡ）も紹介していただいて、そのおかげで大変売れましして、その節はありがとうございました（笑）。

竹内先生と私との最初の出会いは、2016年に行われた「MATH POWER」という数学イベントでした。竹内先生も私も講演者として出演していまして、打ち上げの時にお話しさせていただいたのが最初だったのではないかと思います。

それがきっかけとなって、竹内先生が始めたフリースクール「YES International School」でお話しする機会もいただきました。これはあとで触れたいと思っているのですが、その時に小学生、ひょっとしたら幼稚園くらいの子どもさんもいたかもしれませんが、彼らに対してなんとフェルマー（1607〜65、フランスの数学者、法律家）の小定理の話をするという、とてもスリリングな経験をしました。

このように「YES International School」では、小学生くらいの子どもたちを集めて、非常に高い教養を伝える独自の教育をされています。まずは、どうしてそのようなことをしようと思ったのかという動機について、伺っていきたいと思います。

竹内　実は当初、教育に対してはほとんど興味がなかったんですよ。どっちかというと僕はいわゆるオタク、つまり自分の好きなことしかやらないタイプなんです。自分が楽しいと思えることをやっていられればよくて、世間的な地位とかお金とか、あるいは社会に働きかけることにはあんまり興味がいかないタイプなんです、ゴメンナサイ（笑）。

ただ変わったのは、やっぱり子どもができたからです。僕は婚期がかなり遅くて、40代半ばで結婚したので、娘が生まれたのが今から10年前、50歳の時です。そこから社会の見方というものががらりと変わって、自分の好きなことをやっているだけではなく、次の世代のことも考えないといけないな、と思うようになりました。

特に、娘が小学校に上がるタイミングで、じゃあどこに行くのがいいんだろうと考えた時に、選択肢が見つからなかったんです。今の多くの公立小学校の教育を見てると、算数なら何となく計算ドリルみたいなことばかりやっている印象で、イギリスでは小学校から必修になっているプログラミングなんてまずやっていない（２０２０年から日本の小学校でも必修化されましたが）。

僕は自身が30代の頃プログラミングで生計を立てていたこともあるのですが、常々、プログラミングと数学とを融合した新しい知識体系がこれからは必要だと考えていました。そういうことをやっている場所が見つからなかったので、自分で始めるしかなかったというのが本当のところです。

加藤　なるほど、プログラミングと数学を融合するというところが重要なんですね。実は私も中学生くらいまではパソコンをいじっていた「オタク」で、当時ＢＡＳＩＣ（ベーシック。行単位で命令が実行されるインタプリタ型のプログラミング言語。初級者向けとして普及した）でいろいろプログラムを書いていました。

それだけでは飽き足らずに、機械語《マシン》を自分でハンドアセンブル（プログラミング言語を機械語に手作業で変換すること。プログラミング言語は人間に理解しやすくつくられており、そのままではコンピュータを動かすことができない。それを2進数の機械語へ変換する作業をアセンブルといい、通常はプログラムによって自動で行う）していたんです。

竹内　本当ですか⁉

加藤　ええ。80系と68系（１９７０年代から80年代にかけて、ＣＰＵではインテルによる80系とモトローラによる68系という二つの系統が主流だった）、両方やってたんですよ。だから当時、本当に16進数でアセンブル言語のコマンドを覚えてたんですよね。

竹内　それはすごい、まさに宇宙人ならぬ数学人（笑）。

加藤　ですが、高校・大学とプログラミングからは遠ざかって、数学の道を選びました。ただ、30代くらいになって数学でSageMathとか、Magma、GAP、あるいはもう少し高級なものだとMapleやMathematica（ウルフラム言語とも呼ばれる）などを使うようになって、少しプログラミングの世界に戻ってきたんです（セージマス、マグマ、ギャップ、メープル、マセマティカ：すべてコンピュータ上の数式処理ソフト／プログラミング言語）。

そこで、理論的な数学をプログラミング言語に落とし込んでいく作業というのが、一つの解が自明にあるというものではなくて、実はかなり面白いんじゃないかということに気づきました。

例えばSageMathを使うにしても、おそらく私にプログラミングの基礎がないからだと思うのですが、同じ数を扱うのでもIntegerなのかFloatなのか（共に数を扱うデータの型。Integerは整数、Floatは浮動小数点）の違いで、上手くいかなくてエラーが起こることがあります。ですから、ある意味でプログラミングは数学よりも「精密」なのかもしれない、という印象を得ました。私は、数学を専門にして、プログラミングもかじっている。だから、両者の関係を活かしやすいとは思うんですけど、まだまだそれはできていないな、という感じがしています。

ただ、プログラミングをやっていたことで、アルゴリズム的な考え方ができるようになって、それが数学にも役立っている気はします。ライン・バイ・ライン、つまり1行ずつ読んでいけば、必ずその意味しているところが分かる。そういう考え方はなかなか他のことでは身につかないのではないでしょうか。

そして、ここがある意味で数学の難しさというか、数学の面白さを感じられるかどうかの壁になっているのかもしれません。

竹内　やっぱり数学ってすごく論理的な作業じゃないですか。だから、プログラミングでアルゴリズム思考を身につけるのは、教育の観点からも良いですよね。

プログラミングでコードを書くこと自体がクリエイティブな作業ですけど、他人のプログラムを使って、当たり前の何かを計算しただけではクリエイティブとはいえませんよね。でも、他人のプログラムであっても、いろいろ工夫して、世界がびっくりするような計算をすれば、それはクリエイティブとみなされる。数学者はこれまで紙と鉛筆で数学を作ってきたわけで、手計算には手計算なりの良さがあると思うのですが、プログラムを書いて膨大な計算をやって初めて証明できることもありますよね。だから、プログラミングによって、数学の世界もどんどん広がっているように感じます。ようするに数学の思考ツールが増えたわけです。

今、人工知能（ＡＩ）が話題になって活用されていますが、あれも一種の学習プログラムです。だから、ＡＩ自体がクリエイティブというわけではなく、その道具を使って工夫していくのはあくまで人間です。将来的に、ＡＩが意識のモジュールみたいなものを手に入れたら別の話になりますが、それは１００年かかってもおかしくない遠い未来のことでしょう。

ただ、道具というのは悪い意味じゃなくて、何度も言うけど僕はオタクだからガジェットが大好きなんですね。カメラやスポーツ自転車などの機械をいじるのが好きで、コンピュータもその一つです。

だから、僕にとってコンピュータやプログラミングは、自分の好きな数学の世界を実現してくれる道具なんです。というのも、数学の概念は抽象的で、それこそ加藤さんのような数学者の方だと頭の中ですべて浮かんでしまうのかもしれないですが、僕は残念ながらそうではありません。だから、コンピュータの持つ強力なグラフィック化の力を借りて、数学世界をビジュアライズする、つまり誰の目にも見えるようにすることができるのは、とても助かります。

加藤　今、お話を伺っていて、クリエイティブということについていろいろ感じるところがありました。プログラミングが道具であるというのはその通りだと思いますが、その工夫の過程はクリエイティビティの表れるところかもしれません。

プログラムを書いて動かしてみようとすると、特に最初の頃はたいていどこかでエラーが起こって動かないわけです。そのエラーが起きているのがどこなのかを探したり、あるいは動いたとしても当初想定していたような動き方ではない場合に、それをどうしたらいいのかを考えたりするのが、実は面白い。それは自分の頭で考えているからです。

そうしたプログラムによって形成されたマインドは、私にとって数学をするうえでも非常に重要だったように思います。よく学生にも言うのですが、数学の論文を読む際には常に批判的でなければならない。批判というのは、間違いを指摘するだけではなくて、そこに書かれているやり方をどう変えたらどのように違う結果になるのかといったことを考えるということです。

　こういうやり方というのは、プログラミングをしながら試行錯誤して、意外と楽しかった感覚に結構似ているのではないかと思って、そこは数学のクリエイティブさと似ているような気もします。

ルービックキューブで「群論」が分かる？

竹内　アルゴリズムの探究というテーマで、YES Internationalの僕の授業ではルービックキューブを教材として使っています。ルービックキューブはかつて大流行したので皆さんご存じだと思いますが、ハンガリーの建築学者ルビク・エルネー氏が１９７４年に考案した立体パズルの玩具です。立方体の6面それぞれが色分けされており、さらに３×３の9マスに分かれています。それらをバラバラの状態から回して、すべての面の色を合わせるという遊びです。

　子どもたちには、まずルービックキューブの回し方を教えます。子どもたちは呑み込みが早いので、授業を2回くらいやると全面完成できるようになります。3回目くらいには、早

ルービックキューブ
(Gudellaphoto - stock.adobe.com)

い子だと１分もかからないくらいで全面完成できるようになる。

　ルービックキューブは今では競技になっていて世界中の選手が参加する大会が開催されています。現在の世界記録は単発で３・47秒です。世界大会では通常５回平均を取るのですが、その平均の世界記録が５・53秒です。競技には２種類あって、最短時間を競うものと、紙と鉛筆だけを使って最短手順を導き出すものがあります。

　ちなみに、ルービックキューブはどんな状態からでも20手で必ず完成させられるということが、２０１０年に証明されました。ルービックキューブの配置の種類は４３２５京以上あります（１京は１０００兆の10倍、10の16乗）。このバリエーションの数もすごいですが、20手で必ずそろうというのも驚きです。

加藤　God's Number（神の数）って言うんですよね。

竹内　はい。まさに神の数ですよね。このルービックキューブを速く完成させるためには知っておくべき「奥義」があります。実は、この奥義を別の言葉で言えばアルゴリズムということになります。アルゴリズムを日本語にすれば「手順」ということですね。そのアルゴリズムを簡単に説明してみましょう。

ルービックキューブには、6つの面――上面、下面、右面、左面、前面、背面があります。例えば上面を順回転（キューブに向かって右ねじ回転）で90度回すことを「U」と書きます。これは英語のUpの頭文字です。同じようにして、下面（D／Down）、右面（R／Right）、左面（L／Left）、前面（F／Front）、背面（B／Back）と書きます。逆に回転する時は「'（プライム）」をつけて「U'（ユープライム）」とします。

それで、ルービックキューブの代表的なアルゴリズムの一つが「RUR'U'」というものです。つまり、「右回転・上回転・右逆回転・上逆回転」ということですが、これを6回繰り返すと元に戻ります。この「元に戻る」ということを数字の「1」で表します。

さて、6回繰り返すということを記号で表すと煩雑《はんざつ》になってしまうので、今はとりあえず仮に「RUR'U'=1」とします。そして、逆回転のプライムを「^(-1)」つまりマイナス

1乗と表します。すると「RUR^(-1)U^(-1)=1」と書けます。ここで右からUをかけると「RUR^(-1)=U」となります。そして、もう1回右からRをかけると「RU=UR」となる。これを移項すると、「RU-UR=0」となる。これは要するに「交換子（commutator）」と呼ばれるものです。

「要するに」なんて言われても、理数畑でない読者の皆さんには何のことか分からないかもしれませんが、何でこんな話をしたかというと、実は、大学の物理学で量子力学を学ぶ際に最初に教わるのが、この交換子なんです。例えば、位置座標xと運動量pがあった時に「$xp - px$」が0ではなく非常に小さなプランク定数（ドイツの物理学者マックス・プランクが1900年に発見）という数になるというのが、量子力学の重要な概念で、これが数学的には不確定性原理と同等である、といったことです。

今ここで量子力学のことを理解していただく必要はないんですが、言いたいのはルービックキューブのアルゴリズムというのは、物理学や数学において重要な交換子の考え方と同じものなんだということです。

結局、ルービックキューブのアルゴリズムというのは交換子の数学ということで、色の配置をどのように置換（permutation／パーミュテーション、ちなみに高校数学で習う「順列」

も英語では同じパーミュテーションです）するかということなんです。だから、ルービックキューブのアルゴリズムには「パーム」という名前がついていて、「Ｔパーム」「Ｕパーム」「Ｚパーム」「Ｈパーム」「Ｊパーム」……というようにたくさんあります。

ここで、一つプログラムをご紹介したいと思います（38ページ）。先ほど加藤先生も使われるとおっしゃっていた数学に特化したウルフラム言語、つまりMathematicaで書かれたものです。ちなみに、このウルフラム言語ですが、今は「Wolfram Cloud」というオンラインサイトから無料で使うことができます。ＹＥＳの子どもたちはみんな自分のパソコンで登録して利用しています。

このプログラムの意味を説明しますと、数字が十字のように並んでいるものは形を見ていただけると分かるように、立方体の展開図です。つまり、ルービックキューブのマスに一つずつ番号を振っていって、それを展開図のように並べています。

細かいことを言うと、各面の真ん中は固定されていてキューブを回しても絶対に動きませんから、本当は番号を振る必要はありません。ただ、ここでは一応すべてのマスに番号を振ることにしています。

その次のCyclesの後の数字の列は、それぞれの面を90度回転させた時に、数字がどのよ

```
In[1]:=
 (*
          19,20,21
          22,23,24
          25,26,27
1,2,3|37,38,39|10,11,12|46,47,48
4,5,6|40,41,42|13,14,15|49,50,51
7,8,9|43,44,45|16,17,18|52.53,54
          28,29,30
          31,32,33
          34,35,36
  *)

In[2]:=
ClearAll[u,d,b,r,l,f]
u=Cycles[{{3,27,16,28},{6,26,13,29},{9,25,10,30},{37,39,45,43},{38,42,44,40}}]
f=Cycles[{{7,43,16,52},{8,44,17,53},{9,45,18,54},{28,30,36,34},{29,33,35,31}}]
l=Cycles[{{1,3,9,7},{2,6,8,4},{19,37,28,54},{22,40,31,51},{25,43,34,48}}]
r=Cycles[{{10,12,18,16},{11,15,17,13},{21,52,30,39},{24,49,33,42},{27,46,36,45}}]
d=Cycles[{{1,34,18,21},{4,35,15,20},{7,36,12,19},{46,48,54,52},{47,51,53,49}}]
b=Cycles[{{1,46,10,37},{2,47,11,38},{3,48,12,39},{19,21,27,25},{20,24,26,22}}]

RubikG = PermutationGroup[{u,d,b,r,l,f}];
GroupOrder[RubikG]

Out[10]= 43252003274489856000
```

ルービックキューブのマスの配置パターンを計算するプログラム
（出典：YES International Schoolで田森佳秀先生が書いたものを竹内が改変）

うに移り変わるのかを定義したものです。u、f、l、r、d、bという記号は先ほどと同じです（キューバーの人が見たら小文字のアルファベットは2列まとめて回す記号じゃないかと文句を言うかもしれませんが、あしからず）。さらにそれらによってできる「PermutationGroup」、つまり置換群を「RubikG」として定義します。

では、これらの数値の配置パターン、すなわちルービックキューブのマスの配置パターンは全部で何通りあるのか？　これを知るにはこの置換群の数を計算すればいいのですが、その方法が「GroupOrder」という関数です。これもヒントを与えていくと、時間はかかりますが小学生でもたどりつけます。それで計算を実行すると、4325京2003兆2744億8985万6000という数字が出てきます。

今、さらりと「置換群」と言いましたけど、この「群」というのは数学における概念で群論と呼ばれる分野があるわけですが、非常に抽象的な大学レベルの数学ですよね。だからもちろん、小学生がそれを本当の意味で理解できるわけじゃありません。

でも、ルービックキューブのそれぞれのマスに数字を振るというのは、当然、小学生でも分かりますよね。それを回すと数字がどう動くかということも体感として分かります。その数字の動き、それがすなわちu、f、l、r、d、bというアルファベットで表されているものですが、それらが全部「仲間（グループ）」なんだよという話をするんですね。その仲間たちが作り出す模様が何種類になるんだろう？　ということを少しずつヒントを与えながら考えていくと、時間はかかりますが、答えを見つけ出す方法を子どもたちが発見していくんです。

子どもにいきなり「群論」を教えるのは難しい。いや、子どもはおろか高校生や大学生にだって難しいわけです。でも、大切なのは、ルービックキューブで遊んで、実際に動かしながら、そこに潜《ひそ》んでいる数学を体感すること。

これで群論が分かったとはなりませんし、おそらく子どもたちも中学、高校に行った頃には忘れてしまうでしょう。でも、ルービックキューブを回して、完成させられたことは覚えているでしょう。そこで何かの計算をコンピュータでしたといううっすらとした記憶もあるかもしれません。もし、大学の数学科や物理学科に進んだ人が出て、巡回置換の群（対称群）というものを教わった時にあれがそうだったんだ、と気づいてくれれば僕は嬉しいなと思っています。

さらにこの続きで、これも学校の教材として使ったのですが、ルービックキューブを回してバラバラにしたり、そろえたりするための機械があります（写真）。これにはＡＩが搭載されていて、ロボットともいえるのですが、実はキューブを回すための手が5本しかないことに気づきます（上の面をつかむ手がない）。キューブは6面あるのに、それで本当に大丈夫なのか？　という疑問が浮かぶわけです。

こうした疑問に対して、コンピュータとプログラミングを利用してある種の実験で確かめることができます。では、先ほどのプログラムの仲間たちから「U」を消して、「5人組」にしてみたらどうなるか。詳細は省きますが、これを計算すると6人組の時と答えは変わらないんです。じゃあ、もう1人減らしたらどうなるか。それもやってみると、今度は一気に24分の1の数になってしまいます。つまり、4人になるとそれまでのルービックキューブの世界は壊れてしまう。そういうことが実験できるのが、コンピュータの利点です。

先ほど、加藤先生がYESでフェルマーの小定理を教えてくださった話が出ましたが、小学生に対してもこういうことをやってもいいんだというのは、実はそのことに影響された部分も大きいんですよ。

自動でキューブをそろえる機械
（GANCUBEホームページより）

自分で「発見」することの大切さ

加藤　ちょっとその時の模様についてお話ししたいと思います。2018年2月に「『不思議』から『面白い』へ」というタイトルでお話をさせていただいたんですが、子どもたちが本当に身を乗り出して、食いつくように聞いてくれたのが、まずすごいと思いました。

フェルマーの小定理とは、「$x^p-x\equiv0 \ (mod\ p)$」というものです。これは、pを素数とする時、どんな整数もp乗して自分自身を引いたらpで割り切れる、という意味です。

その他にも、フェルマーの二平方和定理や三角関数のテイラー展開、群論の対称性などについて触れました。もちろん、ここで「群論の話をします」というようにやるわけではなくて、先のフェルマーの小定理なら、例えばpが1の場合、5、7、11の場合と実際に計算をして確かめるわけです。それで、pを6にしてみると上手くいかない。すると、みんなが「ええーっ？」となる、あの時の反応はすばらしいものでした。

やっぱり、経験とか体験というものが数学においても大事だと思っています。ルービックキューブの話に戻ってしまうのですが、私が子どもの頃にも流行っていまして、たしか小学校2、3年生の頃、私は6面をそろえるアルゴリズムというのを体得していたんです。今ではもう忘れてしまいましたが、どんな状態からでも30秒くらいあれば6面をそろえることができました。

竹内　すごいですね！

加藤　数学を勉強するようになってから、あの背後には群論があるということが分かったのですが、当時はそんなこと知りませんから、おそらく感覚的に掴んでいたんだと思います。要するに、先ほど竹内先生も触れたように、ルービックキューブの各面の真ん中は絶対動かないから無視できる。だから、それ以外の8マス×6面＝48個の文字の置き換えで考えればいい、と。これが置換群ということなんです。

ところで、私の親戚にもルービックキューブにはまっていた人がいたのですが、彼は6面そろえることができないので、キューブを全部ばらしてそろえるという乱暴なことをしていました（笑）。ある時、彼が1回ばらして組み直したキューブを渡してきて「これで6面そ

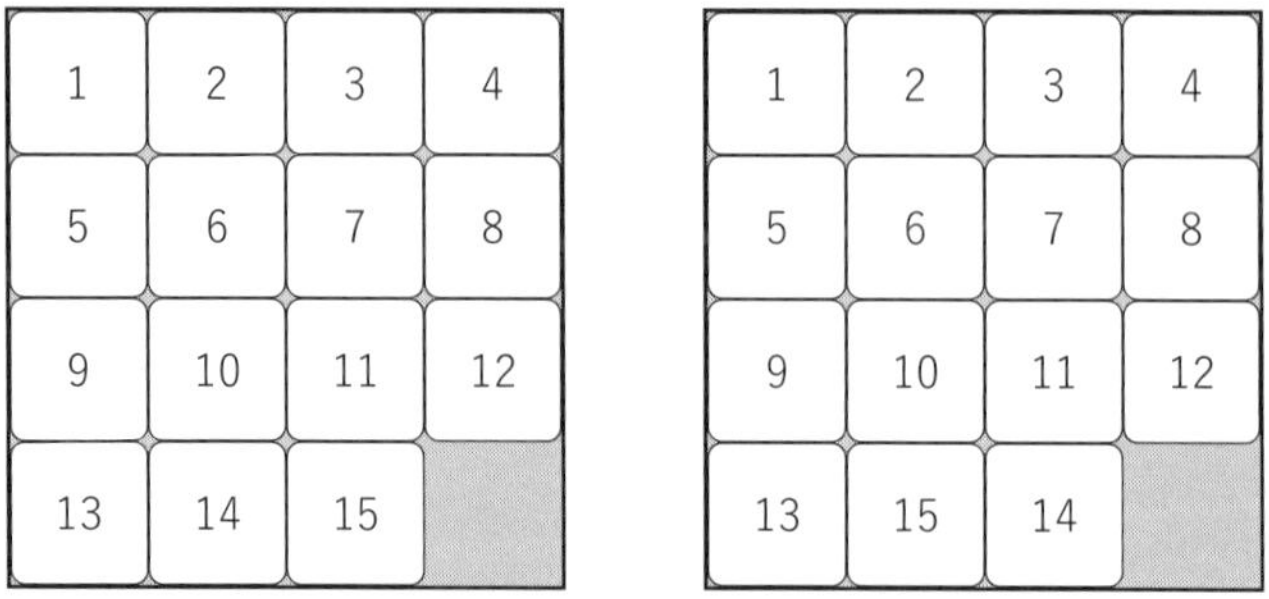

15パズル：左が通常のもので、バラバラの状態からここに戻す。
右は14と15の駒を入れ換えたもので絶対に解けない。

ろえてごらん」と言うんですね。

それでやってみると、どうしてもそろわない。どうしてなのかすごく不思議だったんですが、何となく感覚ではキューブの角が関係しているのではないかというのは感じていた気がするんです。

キューブの角のブロックは3面あるわけなので、これを回転させることで3通りの独立した集合が生まれるんです。6面全部そろっている状態と、角のブロックを1回ひねった状態と、2回ひねった状態があって、1回ひねった状態から6面をそろえることは不可能なんですよ。これは数学的にも証明できます。

これと似た話で、「15パズル」における不可能配置の問題があります。

竹内　4×4のボードに1から15までの数字が書かれた駒がはまっていて、それをスライドさせて数字順に並べるパズルですね。

加藤　はい。この15パズルは空いているマスに駒を動かしていくわけですから、その動きは群論的には動かす駒と空いているマスの互換と捉えることができます。ある駒を動かして元に戻すためには必ず偶数回の互換（偶置換）が必要です。そこで、例えば14と15の駒を入れ換えておくとどうなるか。

竹内　絶対に解けないパズルができあがるというわけですね。

加藤　そうです。1878年にアメリカのパズル作家サム・ロイドはこの問題に賞金1000ドルを懸けて出題し多くの人が夢中になったそうですが、それよりも以前に数学的には不可能であることが証明されていました。

いずれにせよ、先ほど竹内先生が言われたように、ルービックキューブなどのパズルを実際に動かしながら、そこから数学的な思考を磨いていくというのは、自分の経験からも非常に有効だと思いますし、そうやって考える子どもたちの姿がとてもいいなと思いました。

竹内　授業をやっていて気づくのは、ルービックキューブのアルゴリズムを自分で試行錯誤しながら発見していく子と、YouTubeとかで学んで覚える子の2パターンがあるんです。どちらかといえば、やっぱり自分で発見するというのが大切なことだと思います。

もちろん、そのアルゴリズム自体はすでに知られているわけですから、発見自体が評価されるわけではありません。でも、小さいうちだからこそ、ただ暗記をするというのではなく、自分で手を動かして「再発見」することの意味は大きいのではないでしょうか。

加藤　その通りですね。手前味噌な発言になりますが、私が数学をやろうと決めたきっかけというのが、あるちょっとした自分なりの発見があったことなんです。今でも忘れられないのですが、それが「天に向かって続く数」というものです。

実は私は京都大学の生物学科にいました。学部時代の後半だったのですが、ひょんなことから小数点以上の桁が無限に続いていく数について考え始めたんです（通常の整数は、小数点以上の桁が有限なものを指します）。なぜかというと、その世界では、例えば2次方程式の解の存在条件が出せるとか、実数ではない数の展開を計算することができる。一見、奇想天外な世界だけれども、たくさんの定理が証明できることを「発見」したのです（このあたりの詳細は、『天に向かって続く数』、中井保行と共著、日本評論社、２０１６年、に書いてあります）。

実はこれは、数論で非常に重要な役割を果たしている「p進数」というものだということを、東北大学の教授だった小田忠雄先生に教えていただきました（当時休学して実家の仙台に戻っていたので、東北大学をよく訪れていたんです）。小田先生に教えていただいた本と格闘して、自分の見つけたものが本当に定理としてあることを知った時は、天にも昇るような感覚でした。自分が一生懸命言葉にしようとしていたことが、そこにあったからです。

それですっかり数学の虜《とりこ》になってしまった私は、２年留年して数学科に転向することを決めたわけです。あの時の僕が無手勝流で「発見」することができたのは、非常に幸運だったと思います。だから、遊びの中で何かを発見していくというのはとても大切ですよね。

竹内　本当にそう思います。

数学は人間が生み出したのか、自然にあるものか

加藤 こんなことを言うと怒られるかもしれませんが、群論の専門家っていい意味で子どもっぽい人たちが多い（笑）。ルービックキューブを通して群論の感覚を養うのは理に適《かな》っているような気がします。

群の対称性の個数のことを位数《いすう》というのですが、この位数がたとえば1万だった時の群が何種類あるかというのを記載した『Atlas of Finite Groups』という畳ぐらいの大きさの本がありますす。これなんかはまさに「ガジェット」としての性質も持っていて、好きな人はそれを見ているだけで楽しくてしょうがない。そういうところは、ルービックキューブとも共通しているかもしれません。

竹内 そういうガジェットをルービックキューブの他にも探しているのですが、なかなかい

い例が見つかりません。

加藤　『宇宙と宇宙をつなぐ数学』にも書きましたが、「ABC予想」を証明した数学者の望月新一さん（京都大学数理解析研究所教授）も、非常にメカ好きで、実はかなりミーハー気質なところがあるんです。よく分からない新しいデジタルガジェットを買ってきては、私に自慢したりする（笑）。

本を読んでいただいた方もいるかもしれませんが、望月さんは整数論の中でも非常に難しい予想問題である「ABC予想」を解決した論文を2012年8月に発表しました。その論文は数学の専門家でも理解することが難しく、8年にもわたる査読を経て2020年4月にアクセプトされました。私の本は、望月さんがそれに関連して発表した「宇宙際《うちゅうさい》タイヒミュラー（IUT）理論」を解説したものでした。

このIUT理論のイメージを図解した動画が望月さんのホームページにあるのでぜひ見ていただきたいのですが（「IUTeichに関するアニメーション」https://www.kurims.kyoto-u.ac.jp/~motizuki/research-japanese.html）、これを見ても多くの人は理解できないでしょう。それでも、何かいろいろなことが連動して、見事に調和しているということが表現されていることは感じられると思います。

何が言いたいかというと、望月さんの数学はものすごく幅広くて一言でこういうものですと言うことはできないのですが、非常に精巧にできていて、それがガジェット的な感じがするのです。

これは望月さんだけじゃなくて、数学者が理論や証明を考えるのは、さまざまな部品が精巧に、精密に連動して一つの世界を作り上げていく感覚に近いと思います。

一方で数学の不思議さとも関係すると思うのですが、精巧なガジェットとしての理論や証明を作り上げようとして試行錯誤してできあがってみて、ふと気づくとそれらはすべて自然の中に元からあったんだという感覚に陥《おちい》ることがあるんです。結局、私たちはまだ不完全だから自然のしくみを体得できなくて、いろいろな理論を作り上げようとする。でも、それらは元からあって、数学自身がそれを書いてくれるといったような感覚です。

竹内　その感覚はすごくよく分かって、今度はそれを数学と物理の関係からお話ししてみたいと思います。

離散《りさん》数学と呼ばれる分野があるのですが（実数のように連続した数ではなく、整数や自然数のように「飛び飛び＝離散的」な数を扱う）、そこで扱うものに「キス数（Kissing number／接吻《せっぷん》数ともいう）」の問題というものがあります。これは「n次元の単位球の周りに単位球を重ならず触れ合うように並べる時、最大何個並べることができるか」というものです。

例えば、半径が1の円があった時に、その円の周りに同じ大きさの円が最大何個接することができるかを考えることです。この「接する」ということが「キス」と呼ばれる所以《ゆえん》です。2次元なら円ですし、3次元なら球、4次元以降は図示するのは難しいですが理論的に考えていきます。

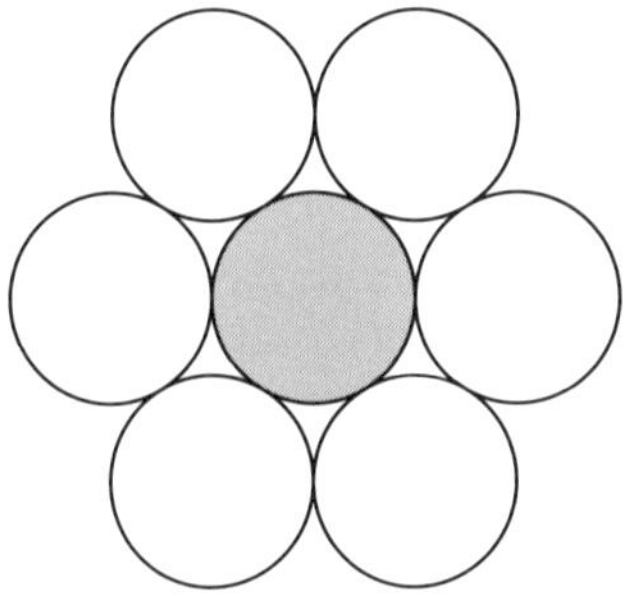

キス数：2次元（円）の場合は6個となる。

2次元の場合は、実際に作図してみると分かります。円の周りに同じ円が何個接するかを描いてみると、これは6個になります。

3次元については、ニュートンと友人である天文学者のグレゴリーという人が12個か13個かでずっと議論していたという話があります。僕はそれを知った時、そんなの実際に球をつくってやってみれば簡

次元	キス数	
	最小	最大
1	2	
2	6	
3	12	
4	24	
5	40	44
6	72	78
7	126	134
8	240	
⋮		
24	196560	

単じゃないかと思ったのですが、実は数学的な証明は非常に難しいんですね。大雑把《おおざっぱ》に言えば、隙間があって周囲の球をぴったりはめる方法がないので計算が難しくなるわけです。逆に言えば、そこが非常に面白い。

それで、現在までに分かっているキス数問題の解が表の通りです。４次元までは解が一つに定まっていますが、５次元は最小値と最大値、つまり解の範囲しか分かっていません。次に解が分かっているのは８次元で２４０個、その次は大きく飛んで24次元です。

これってすごく奇妙ですよね。なぜ、唐突に8次元と24次元だけが分かるのか。それは数学的には「格子《こうし》(lattice)」という考え方になるのですが、2次元の時と同じように計算に具合の良い配置が見つかったからです。8次元のものは「E8」、24次元のものは「リーチ格子」という名前がついています。

で、ここまでが数学の話なのですが、これが物理学と不思議な関係があることに気づいてびっくりしたわけです。

僕が大学院で物理を学んでいた時の専門が「超弦《ちょうげん》（超ひも）理論」でした。これは「ひも」という名の通り、物質の基本要素である素粒子は「点」ではなく、「1次元方向に広がっている」、すなわち「ひも」のようなものであると考える理論です。そのことで、ミクロの世界を説明する量子力学とマクロの世界を説明する重力理論を統合して、宇宙のすべてを一つの理論で説明できるようにしようというものです。

この超弦理論で導き出される多次元宇宙モデルが、26次元と10次元なんです。この数字を見て、何か気づかないでしょうか？　先ほどのキス数問題で解が求められているのが8次元と24次元でした。8と10、24と26で2ずつ違いますが、驚くほど共通しています。

この差の2が何なのかを考えていくと、思い当たることがあります。

超弦理論では「ひも」の振動ということを考えます。ひもの振動は2種類あって、ひもに垂直な方向の横振動と、ひもに水平な方向の縦振動です。そしてもう一つ、物理学では時間を考えます。つまり、時間と縦振動の「2次元」を除いた、ひもの横振動は8次元と24次元ということになるんです。

そして、超弦理論の中で扱われるテータ関数というものがあるのですが、そこでやはり240という数字が出てくる。これは先ほどのキス数問題における8次元の解と同じです。

このように見てくると、全然関係ないと思われた離散数学のキス数問題と現代物理学での超弦理論の間には、何か深い関係があるとしか思えません。ですから、数学というのがやはり奥深いところで自然や宇宙の記述と関係があるんだというのが、このことを知った時の印象でした。

加藤 このあたりの話には、分配関数としてデデキントのエータ関数が現れ、その24乗がモジュラー形式になるとか、ゼータ関数の特殊値ζ(-1)が-1/12＝-2/24になるとか、数学的にも「24」という数をめぐる面白いストーリーがいろいろ関係していますね。

数学はすごい、でも物理学もすごい

竹内 他にも、数学の力を思い知った出来事があります。

2008年に、小林誠先生（高エネルギー加速器研究機構名誉教授）、益川敏英先生（京都大学名誉教授、1940～2021）がノーベル物理学賞を受賞されました。この受賞理由となった「小林・益川理論」は「CP対称性の破れ」を証明するものです。

このノーベル賞をとった理論には、数学の力が大きく関係しているのですが、素粒子物理学を詳しく説明するとそれだけで終わってしまうので簡単に説明します。

物質の最小単位とされる素粒子のうち「クォーク」と呼ばれる粒子があります。細かいことは省きますが、観測の結果から、このクォーク間に働く相互作用には、ある座標の「ねじれ」があることをイタリアの物理学者ニコラ・カビボ（1935〜2010）が発見しました。そのねじれは「カビボ角」と呼ばれ、2次元の行列によって表されます。

「小林・益川理論」は、この「ねじれ」を2次元から3次元に拡張したものなのです。では、なぜそれが必要だったのでしょうか。

この宇宙に、ある粒子が生まれる際には、それとは電荷（プラス／マイナス）だけが逆の「反粒子」も同時に生まれますが、反粒子はすぐに消えてしまい、この宇宙には粒子だけが残ります。

それまで、この粒子と反粒子には同じ物理法則が成り立っているという「CP対称性」ということが言われていました。Cは電荷（Charge）、Pは空間（Parity）の頭文字です。しかし、1964年にK中間子という粒子の崩壊を観測したところ、このCP対称性が破れている、つまり成り立っていないということが判明しました。しかし、これまでの理論ではこのことを説明できなかったのです。

そこで小林先生、益川先生は先ほど申し上げたように、2次元から3次元に理論を拡張することによって、数学的にそれが説明できるとしたのです。ただし、ここで問題なのは3次元に拡張するということは、クォークが3世代＝6種類存在することが必要だということになるのです。

「小林・益川理論」が発表された当時、クォークはまだ3つしか観測されていませんでした。つまり「小林・益川理論」は、この世界にはまだ見つかっていないクォークが3つあるということを主張するものだったのです。これは非常に画期的なことでした。

実際、後に1990年代半ばまでに残りの3つのクォークが発見され、お二人の理論が正しかったことが証明され、ノーベル賞につながりました。

僕はこれを教科書で読んだ時に、数学の力ってすごいなと痛感しました。2次元から3次元に変えることで世界がガラッと変わってしまって、しかも現実世界を記述するのは3次元の理論なのだから、他にもクォークがあるに違いないと予測したのですから。

実際、益川先生の研究室に取材に伺ったことがあるのですが、本棚が数学書だらけなんですよ。物理学書より全然多い（笑）。

加藤　実は、私も益川先生の思い出が一つあります。私が京都大学に入学した年の学祭で、益川先生とやはり物理学者の佐藤文隆先生との対談があって聞きに行きました。その際に、どうやってあの理論に辿り着いたのかという質問に対して、お風呂上がりに「足りない」と気づいたと益川先生がおっしゃっていたのが印象的でした。

今、竹内先生が数学のすごさということをお話しされましたが、私は逆に実は物理学が数学に対して非常に大きな影響を与えている――つまり、物理学はすごいという話をしたいと思います。

先ほど、超弦理論のお話の中で26次元と10次元の多次元宇宙モデルというお話が出ました。一方、私たちが住む現実の世界は、いわゆる「ミンコフスキー時空」と呼ばれる、時間＋空間（3次元）の4次元です。つまり、超弦理論が正しければ、10次元が何らかの形で4次元に畳み込まれているわけで、そのコンパクト化された6次元分がどうなっているのかを説明しなければなりません。

そこでは、この6次元の部分は「カラビ・ヤウ多様体《たようたい》」という複素3次元空間の多様体によってコンパクト化されていると説明されています。そしてさらに、そのカラビ・ヤウ多様体には「ミラー対称性」と呼ばれる、数学者もまだ気づいていない対称性があると提唱されたのです。

このことに数学者たちは非常に驚きました。というのも、このミラー対称性という概念を用いると、数学者がそれまで解けなかった代数幾何学における難問を解決できるということに気づいたのです。

例えば3次元の5次超曲面の中に直線が何本あるのかということについて、数学者は2次までしか解を求められていなかった（1次は2875本、2次は60万9250本）のです。しかし、ミラー対称性を使うと高次の直線の本数まで一気に数えられてしまう。そのことを実行したキャンデラス、ド・ラ・オッサ、グリーン、パークスという4人の物理学者たちによる論文が、1991年に出されました。

それ以来、このミラー対称性はある種のブームとなって非常に重要な問題として研究されてきたのですが、いまだにちゃんと「数学の言葉」になったとは言えません。数学にできる部分だけを切り出しているというのが現状です。私が思うに、おそらくこれは空間概念を変えるくらいの大きな力を持っているものです。

ですから、物理学において数学が果たした役割はもちろんありますが、それだけでなく物理学が現実を説明しようとして導き出した理論が、逆に数学に還元される面もあるわけです。お互いに足りないものを見つけたら、自分たちのものにしていく力がありますね。

竹内　昔、例えばニュートンの頃は、数学者・物理学者という区別は曖昧《あいまい》ですよね。ニュートンは数学をやっていたと見ることもできるし、自然哲学つまり今で言う科学をやっていたと見ることもできる。それは学問が細分化された現代の人が見るから曖昧なだけであって、本人たちは区別なくやっていたように思います。ですから、理論物理学者の人たちがほとんど数学者と区別がつかないというのは当たり前なのかもしれません。

ところで、僕の『超ひも理論とはなにか』（講談社ブルーバックス）という本には、カラビ・ヤウ多様体をウルフラム言語で可視化した図をカバーに使っています。

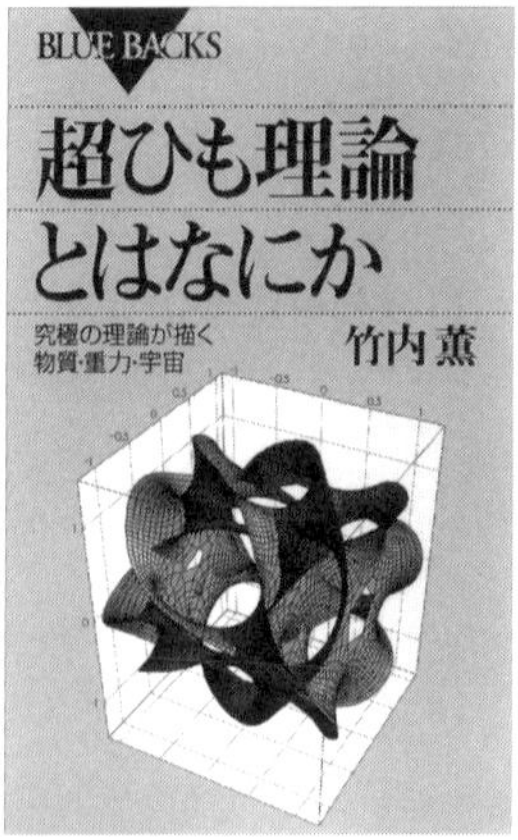

『超ひも理論とはなにか』カバー

前にも言いましたが、僕は数学が好きだけれども、頭の中だけで抽象的なものをイメージするのは得意ではないので、こうやってコンピュータ・グラフィックスの力を借りて可視化するのが楽しいんです。やっぱり、頭の中だけでできるのは、すごいなと……。

未来の数学の姿

加藤 ただ、これからの数学とコンピュータ科学との垣根は、どんどん低くなっていくのではないかという気がしています。最初に話したように、僕はプログラミングから離れて数学と分離してしまった状態から出発していますけれど、だからこそ今の数学はどんどんコンピュータ科学と融合してきているような感じがします。

今、数学の世界では圏論《けんろん》がよく話題にされています。圏とは「対象」というモノと、対象と対象をつなぐ「射《しゃ》＝矢印」からなるシステムのことで、グラフとかネットワークとかいった構造を抽象化した概念です。グロタンディーク（1928〜2014、パリのフランス高等科学研究所において代数幾何学の分野で新しい理論を建設した）という人は圏の言葉を用いて、トポスという新しい空間概念を提唱しました（このことについては『物語数学の歴史』、中公新書、の第12章で説明をしています）。

私は中高生とも数学の議論をすることがあるのですが、すごく興味を持ってくれていると感じます。

このトポスや圏という概念は、従来の空間概念に比べて飛躍的に柔軟性の高い空間的・直観的な思考のためのフレームを提供してくれます。このフレームワークはより言語的な、ロジックへの応用がされています。最近は認知科学などへの応用も盛んですし、機械学習を圏論的なフレームワークで捉えることができるか、あるいは圏論で確率論をやってみようなど、幅広い可能性が見られます。

ある意味で圏論はこれからの社会の「ガジェット」になり得るのではないかと思うんです。ちょっと大風呂敷になりましたが、私は未来の数学をそのように考えています。

竹内　なるほど、面白いです。最後に、ペンローズについて触れておきたいと思います。２０２０年のノーベル物理学賞をロジャー・ペンローズさんが受賞しました。実は僕のサイエンス作家としてのデビュー作は『ペンローズのねじれた四次元』（講談社ブルーバックス）という本だったんです。ペンローズさんはどちらかといえば数学者に近い物理学者で、非常に面白い独自の宇宙観をいくつも提唱しています。

例えば、彼はスピン・ネットワーク理論というものを提唱しています。スピンというのは、素粒子が回転する性質のことなのですが、この素粒子のスピンという性質を集めてネットワーク化すると、そこに時空が生まれると言うのです。

これは世界中の物理学者に衝撃を与えたのですが、それは彼の説が「世界は時間と空間という容器の中に入っている」という暗黙の了解をひっくり返してしまったからです。まさに逆転の発想で、世界のもとは回転（スピン）であり、それがつながってできた関係性のネットワークを人間が勝手に時空と呼んでいるというわけです。

回転が世界の本質などと言うと、読者の皆さんは首をかしげるかもしれませんが、ジャイロスコープという装置をご存じでしょうか。回転するコマのようなものなのですが、そのコマの軸は、周囲から力を加えない限り、永遠に空間の一点を指し続けるんですね。ところが、例えば地球の存在によって空間がわずかに歪《ゆが》んで、しかも地球の回転によって空間が引きずられていると、コマの軸の向きがわずかに変化するのです。言い換えると、回転するコマの軸が、空間の歪みや引きずりを検知するわけです。

自転している地球を巨大な蜂蜜の上に置いたら、地球は蜂蜜の中に沈みつつ、周囲の蜂蜜を絡め取りますよね。そんなイメージです。

で、ポイントは、ミニチュアのジャイロスコープ（回転するコマ）みたいなものが物理的な存在の本質、すなわち素粒子のスピンであり、そこから時空という幻想が生まれるのだと考えるわけです。

ペンローズさんは、この考えをさらに発展させて、宇宙の本質はツイスターという竜巻みたいな数学的構造だと主張しました。

ジャイロスコープ

だいぶ説明をはしょりましたが、ペンローズさんがすごいのは、時間と空間の仕組みそのものを考えていることだと思います。

実はこのノーベル賞は、１９６５年のブラックホールに関する論文で受賞したものでした。ブラックホールのことは、だいぶ前から多くの人がその存在を信じていますよね。それが今になって受賞したのはなぜかといえば、それはようやくここ数年でブラックホールを「見る」ことができるようになったからです。

技術が発達して、電波天文台をたくさんつなげて解像度を上げることで、これまでは大きさのない点としか見えなかったブラックホールの「輪郭《りんかく》」を観測できるようになったわけです。これはある意味で、数学の持つ力を人類が50年もかけてようやく検証できたということではないでしょうか。

ちなみに、今ペンローズさんが提唱している宇宙論がまた面白くて、宇宙の始まりと終わりは数学的には区別できないということを主張しているんです。宇宙の始まりと終わりには両方とも「もの」が存在しないから区別できない。何も存在しないのだから「物差し（スケール）」も存在しないわけで、それはつまり同じ物理的状態にあるというのです。

だから彼にとっては、ビッグバンというのは前の宇宙の終わりであり、新しい宇宙の始まりだということになります。さすがにこの説はまだ賛同する人は少ないのですが、もしかしたらブラックホールと同じで半世紀先には検証されるのかもしれません。

加藤　竹内先生のお話を聞いていると、非常に物理や数学を楽しんでおられるなということが伝わってきました。そういうところがYES Internationalの生徒さんにも伝わっているのだろうと感じます。物理学と数学がお互いに影響を与え合って、非常にお話も盛り上がりました。

竹内　先日、ポール・ナースという遺伝学者の『WHAT IS LIFE? 生命とは何か』（ダイヤモンド社）という本を翻訳しました。ナースはその中で情報的な観点の重要さを指摘しています。基本的にDNAというのは情報です。塩基――アデニン（A）、チミン（T）、グアニン（G）、シトシン（C）――という記号の羅列《られつ》が、どうやって活性化したたんぱく質を作り出していくのか。そこには情報学的なアプローチが大切だというのです。

僕が面白いなと思ったのは、シュレディンガー以降、そういった情報の仕組みの取り扱いというものが、フランシス・クリック（1916〜2004）、とジェームズ・ワトソン（1928〜）がDNAの二重らせん構造を発見して、現在はゲノム編集というところまできてしまい、人間自身がそれを自由に改変できるようになりました。では、今後はどうなっていくのかということです。

そこにはいろいろな可能性があって、私たち人間は自分の存在を情報として、ある意味「数学的」に扱えるようになっているということです。これは他の生物には絶対に見られないことです。だから、人間を定義するのだとすれば「数学する生き物」ということになるかもしれません。

生命すら抽象的な情報として扱うことができ、その抽象化の最たるものが現代数学である。それがある意味で人間という生命が現在到達している地点なのかな、と。もし宇宙に人間よりも高度な知的生命体がいるとすれば、彼らの数学がどうなっているのかは興味深いところですね。

加藤　言い換えれば、数学することは生きることでもあるわけですよね。今日の私たちの対談は予想を超えて話題が広がりました。結論というものはありませんが、この非常にいい言葉が出たところで締めくくりたいと思います。ありがとうございました。

第２章

数学と文学の交差点

すべての表現者は孤独か？

岩井圭也 × 加藤文元

岩井圭也

いわい・けいや

小説家。1987年生まれ。大阪府出身。
北海道大学大学院農学院修了。
2018年『永遠についての証明』で
第9回野性時代フロンティア文学賞を受賞
(KADOKAWAより刊行)。
著書に『文身』(祥伝社)、『水よ踊れ』(新潮社)、
『この夜が明ければ』(双葉社)などがある。

なぜ、数学者を題材に小説を書こうと思ったのか

加藤　数学に関係した「異分野対談」ですが、今回はかなり変化球ということになるかもしれません。テーマは「数学と文学の交差点」ということで、小説家の岩井圭也先生をお呼びして対談を進めていきたいと思います。正直なところ、私にも何が起こるか分からないと申しますか、ワクワクドキドキしています。

岩井先生は、新進気鋭の小説家でいらっしゃいますが、北海道大学大学院で農学を学ばれたということですね。

岩井　はい。修士課程を修了しました。

加藤　2018年に、今日もおそらくトピックとして挙がるであろう『永遠についての証

明』という小説をお書きになりまして、第9回野性時代フロンティア文学賞を受賞してデビューされました。それで、私がなぜ岩井先生と知り合ったかということですが、実はこの授賞式に私も出席しておりました。

そもそも、以前から私は、数学の世界や数学者の姿というものが、小説にとって非常にいい題材になるのではないかと思っていました。数学者といっても朝起きて、ご飯を食べて、お酒を飲んで酔っ払うというような普通の人間です。そうした人間のやる数学というものが、どこか神秘的な、高尚な世界を作り出していくその姿を描けば面白いのではないかと考えていました。

そこへきて、岩井先生が『永遠についての証明』で、まさに私が思い描いていたような人間と数学の関係を書かれた。これはすごいなと思って、ぜひお会いしたいと出版社の方にお願いして実現したということです。授賞式では少ししか時間がありませんでしたので、いずれちゃんとお話ししたいなと思っていて、今日の対談をお願いしました。

岩井　よろしくお願いいたします。

加藤　さて、前置きが長くなりましたが、まずはこの『永遠についての証明』について問いかけをするということから始めてみたいと思います。小説のラストシーンに、こんな文章が出てきます。

新しい理論が生まれた時、人は数学者が理論を創造したと思いこむ。しかし数学者がそこにいようがいまいが、理論は厳然と存在する。創造するのではなく、見出すのだ。英語で〈理論〉を意味する〈theory〉は、ラテン語で〈見る〉という言葉に由来する。たったひとりの天才が目撃することでしか、理論はこの世界に姿を現さない。事実を積み重ねるだけではたどりつけない場所が、確かに存在する。

『永遠についての証明』（KADOKAWA）

すばらしい言葉だと思いますが、こうした数学を題材に取った小説をお書きになろうと思った経緯といきさつ、モチベーション等を、まず伺えればと思います。

岩井　もともと私は、数学者の伝記を読むのがすごい好きで、加藤先生もお書きになられているガロア（1811〜32、決闘で命を落としたフランスの天才数学家。「代数方程式のガロア理論」で知られる）ですとか、ラマヌジャン（1887〜1920、インドの貧しい家庭に生まれ独力で数学を研究した。数々の公式を残し、「数学の魔術師」と呼ばれる）、フェルマー（1607〜65、フランスの数学者、法律家。フェルマーの最終定理——3以上の自然数 n について、$x^n+y^n=z^n$ となる自然数の組は存在しない——と呼ばれる予想を残し、これは1994年まで証明されなかった）などの伝記を読んできました。

数学者の人たちは、すごく純粋に抽象的な理論を追い求めている。その純度の高さというのが、学問だけでなく人生にまで滲《にじ》み出てきている感じがしたんですね。その一本気な生き方に惹《ひ》かれました。

私はデビューするまで6年くらい小説を書いては投稿を繰り返していたのですが、数学者の話は絶対書きたいと思いつつ、勝負所で書かなければという思いもあって、その間ずっと温めていました。

実は、この小説の参考文献に加藤先生の『数学する精神——正しさの創造、美しさの発見』（中公新書）を挙げているのですが、非常に大きな影響を受けました。これを読んだというのも一つのブレイクスルーで、ここに書かれていることを具現化すれば小説が完成しそうだという予感がありました。

ちょうどその頃、同じく野性時代フロンティア文学賞の奨励賞というものをいただきました。これは受賞ではないけれど、次回に期待といった意味合いの賞でして、次に数学のテーマをぶつければ最高のものができるんじゃないかということで書いたのが『永遠についての証明』だったわけです。

加藤　実際に数学者にお知り合いはいらっしゃいますか？

岩井　いえ。加藤先生とお会いしたのが初めてと言ってもいいほどで、もっぱら伝記を読むだけでした……。心に残ったのはガロアとペレルマン（1966〜、ロシアの数学者。ポアンカレ予想の解決で、2006年にフィールズ賞を受賞したが辞退した）です。『完全なる証明』（マーシャ・ガッセン著、文藝春秋）という、ペレルマンについて書かれた本があるのですが、彼は「数学のノーベル賞」とも言われるフィールズ賞を辞退して、勤めていた研究所も退職して隠遁《いんとん》生活の中で研究を続けている。どうしてこういう境地に至ったのかということがものすごく不思議で、もっとこの人たちのことを知りたいと思いました。自分で書いてみれば何か分かることがあるかもしれない、というのが原動力の一つだったと思います。

加藤　ちなみにペレルマンについては、どのように思われますか？

岩井　あくまで私の考察ですけれども、自分が世の中に問おうとしているものと、世間の解釈との間にあるズレを感じて、「それならば理解されなくても結構」となって引っ込んでしまった部分はあるのかな……と。物事が大きくなればなるほど、例えばマスコミがそれを伝えようとすると、分かりやすく、あるいは短くしなければという理由で矮小《わいしょう》化されてしまう。純粋数学の難問であれば、そういう乖離《かいり》も大きくなるのではないでしょうか。
加藤先生は、どうお考えになりますか？

加藤　私も正直よく分からないですけれども、少し違う解釈を提示してみたいと思います。ペレルマンはロシア出身ですが、おそらくロシアの中でも数学界の主流にいたわけではありませんでした。数学の世界は平等なようでいて、やはりアメリカやヨーロッパ、中でもフランスやイギリスが中心となっている側面は否《いな》めません。

ペレルマンは、グロモフ（1943〜、ロシア出身、フランスの数学者）に認められて、世界が注目することになるわけですが、もしグロモフによる後《うし》ろ盾《だて》がなかったら、実際どうなっていただろう、とも思います。そういう、数学の本当の価値とは別次元のところで仕事の評価が左右されてしまう現実に対する軽蔑《けいべつ》もあったのではないか。あくまで私の個人的な想像でしかないのですが。

いずれにせよ、なぜ彼があああいうふうになったのかは興味がつきませんね。

天才数学者の孤独

岩井　そうですね。私も今、お話を聞いていて、この『永遠についての証明』の中ではペレルマンのモチーフってかなり強いなっていうのを改めて感じてました。小説の中に師匠に相当する人も出てくるんですけれども、そういう師弟関係も数学者の方にとっては重要なのかな、と思います。

ラマヌジャンも、ケンブリッジ大学にいたハーディ（1877〜1947、イギリスの数学者）に見出されたんですよね。でも、ハーディはラマヌジャンのことを高く評価しながらも、研究方法では相違も出てきて関係性が崩れてしまう。結局、ラマヌジャンはイギリスの生活が合わなかったこともあって体調を崩してインドに帰国してしまいます。

加藤 たしかに、師弟関係は大きいですね。では、岩井さんの念頭にあったのは、やはり特異な経歴を持った数学者、ガロア、ラマヌジャン、ペレルマンの3人だったということですね。そこから今日のタイトルにもある「孤独」というところに触れていきたいと思いますが、これはどういうことでしょうか？

岩井 これは数学に限ったことではないかもしれませんが、天才たちの人生を見ていると、必ずしも幸せではないな……と。

加藤 実際、そうですね。

岩井　普通の人は、才能はないよりあったほうがいいと思うし、あれば他人よりいい暮らしができるような気がします。では、天才（持つ者）は凡人（持たざる者）に比べて幸せかといえば、必ずしもそうではないように思えます（もちろん、中には幸せそうな人もいますが）。

それはなぜだろうかといえば、一つの大きい要素は孤独との付き合い方ではないかと思ったんです。天才である以上、一般人の理解を超えているわけで、そこには必然的に孤独がつきまとうのではないでしょうか。

とはいえ、そうした天才数学者も人間ですから、その孤独が人間的な部分を傷つけることもあるでしょう。つまり、天才に「孤独」は必須だけれど、それは自らを壊す「諸刃《もろは》の剣」となる。天才たちは、そうした内なる刃をどう手懐《てなず》けるかということが人生において求められているのだろうと感じます。

そういう視点から、数学者と孤独の関係に非常に興味があって、ガロアやラマヌジャン、ペレルマンというのは、その象徴のような人たちです。ただ、この三人が同じかというとそうでもなくて、例えばガロアは他の二人と比べても特殊な感じがします。

ガロアに特徴的なのは、一般的な孤独な数学者のイメージとは異なり、社会的な営みへの志向が強くあったことです。ガロアは革命活動に参加していくのですが、自分は社会の役に立つ、社会を変えるような人間なんだということを示したかったのではないか。そこには孤独に対する恐れがあるように思えます。

だからこそ、破滅的なまでに人間社会の中に飛び込んで、最終的には理由は諸説ありますが、色恋沙汰で決闘に巻き込まれて命を落とすことになります。

ラマヌジャンは、先ほどお話ししたように独りで数学を研究していましたから、ある意味で孤独からスタートしました。独学ですから「証明」をせずに、「神様が教えてくれた」などと言っていろいろな定理を見つけ出していった。でも、ハーディがその才能を見出してくれたおかげで、イギリスに渡ることができたわけです。その頃の幸福な師弟関係があったからこそ、逆にその関係が崩れてインドに帰った晩年は、再びの孤独との落差に苦しむことになりました。

ペレルマンは、文字通り隠遁生活を送っています。彼はやはり世間との折り合いがつかず、自らの孤独に逃げ込んでしまったと言うことができます。このように三者三様ですが、みな孤独との関係が切り離せないと感じました。

加藤　やっぱり、数学というものが彼らの人生、そしてその孤独に作用した部分は大きいと思います。ある意味で、数学のせいで彼らは苦しんでいた。

ただ、おっしゃるようにガロアに関しては少し特殊で、父親の自殺が非常に大きな転機となって、時代背景もあって社会に対する憤《いきどお》りが爆発して、革命活動にのめり込んでいきました。そのことによって、せっかくの天才を無駄にしてしまった。それに対する悔しさのようなものが個人的にはあって、自著の中でも触れたことがあります。

岩井　そう思います。

共同で革新的アイデアを生み出すことは可能か

加藤　ところで、この3人のあり方が数学者における孤独の3類型だとします。『永遠についての証明』の主人公である天才数学者の瞭司《りょうじ》には、どのような孤独があるのでしょうか？

『永遠についての証明』出版社によるあらすじ

特別推薦生として協和大学の数学科にやってきた瞭司と熊沢、そして佐那。眩《まばゆ》いばかりの数学的才能を持つ瞭司に惹きつけられるように三人は結びつき、共同研究で画期的な成果を上げる。しかし瞭司の過剰な才能は周囲の人間を巻き込み、関係性を修復不可能なほどに引き裂いてしまう。出会いから一七年後、失意のなかで死んだ瞭司の研究ノートを手にした熊沢は、そこに未解決問題「コラッツ予想」の証明と思われる記述を発見する。贖罪《しょくざい》の気持ちを抱える熊沢は、ノートに挑むことで再び瞭司と向き合うことを決意するが――。

岩井　瞭司の場合は、ラマヌジャン的な孤独に近いでしょうか。瞭司は、数学的な正しさがひらめきというか、パッと見えてしまうところがある。そういう意味で、ラマヌジャンと似たところがありますし、大学の中で一度は友人、仲間や居場所を見つけられるけれども、結局それを失ってしまう。その部分もラマヌジャンと相似形を成すように思います。

加藤　その主人公の姿というのは、ではラマヌジャンがモデルになっている？

岩井　ラマヌジャンがモデルになっている部分もありますが、いちばん大きいのは、天才の持つ孤独の究極の形がどのようなものか？　という問いですね。

先ほどの3類型で言うと、ペレルマンは自ら選んだ孤独であって、ある意味で自分の人生は確保している。ガロアは恋愛沙汰の果てに決闘で受けた傷が元で死んでしまった。その意味では、孤独自体は背後に隠れています。一方、ラマヌジャン的に、一度得たつながりが壊れて再び孤独に直面させられるその落差は、人生において最も耐え難いことなのではないかと思いました。

そうした寂しさが人を追い詰めていった時にどうなるのか、というのがこの小説で描きたかったことでもあります。

加藤　瞭司にとってのつながりというのが、大学の友達である熊沢と佐那の存在ですよね。高校まで数学の言葉が通じる相手が見つからなくて孤独を感じていた瞭司は、同じ「特別推薦生」として入学した熊沢と佐那に出会ってようやく仲間ができたと感じる。そして彼らは共同研究で成果を上げます。この共同研究というものについて、少し考えてみたいと思います。

数学というのは、一般的に個人で研究するものと考えている方が多いと思いますが、共同研究というものもあるわけです。ただ、結局アイデアが生まれるのは個人の頭の中ですから、本当に共同研究ができるとすれば、それはなぜかと不思議になることがあります。

この共同研究とアイデアに関して、皆さんに読んでいただきたい文章があります。背景から説明しますと、1950年代に東京大学の若手数学者たちによる「新数学者集団(S.S.S.)」というグループがありました。メンバーは、谷山豊（1927〜58）、志村五郎（1930〜2019）、佐武《さたけ》一郎（1927〜2014）といった人たちです。フェルマーの最終定理が解かれるきっかけとなった有名な「谷山・志村予想」も、谷山たちが日光金谷ホテルの大広間で開催した国際会議で行った議論から生まれました。

彼らは日本の数学を変革していこうという気概を持って、海外から著名な数学者を呼んでカンファレンスを開催します。そこには「ブルバキ（Bourbaki）」からも数人のメンバーが招待されました。ブルバキというのは架空の人名で、実は一人の人間ではなく、『数学原論(Éléments de mathématique)』という教科書を編纂《へんさん》するために集まったプロジェクトなのです。アンドレ・ヴェイユ（1906〜98）、クロード・シュヴァレー（1909〜84）、ジャン＝ピエール・セール（1926〜）といった、フランスを中心とした20世紀を代表する数学者たちがメンバーでした。

以下は、そのS.S.S.とヴェイユ（Weil）との間で交わされた議論です。

S.S.S.: …吾々《われわれ》は共同研究が必要だと思っている。そこでBourbakiの例を聞きたい。
Weil: 第一に注意することは、Bourbakiの目的はBourbaki（教科書）を書くことで、だから本を書かなければ止めて貰うことになっている。共同研究が目的なのではない。

　次はアイデアは個人の中からしか生れない。Bourbakiの集りで、共同で何かのアイデアが生れることがあり、その時は皆興奮するが、後になって見ると非常に小さいアイデアでしかない。それさへも共同で生れることは非常に稀《まれ》なことなのだ。

　だがアイデアは、孤立していると無くなってしまう恐れがある。そんなとき、皆に話していれば、その雰囲気の中で自然に育っていく。
S.S.S.: それも協力の成果ではないか。
Weil: そうではない。アイデアが人に話せる位にまで成熟するためには、場合により違うが、普通、数ヶ月から数年の間、個人の胸の中で育《はぐ》くまれて行かなければならないものだ。これは全くその人だけの問題だ。
S.S.S.: 我々はその後の発展をも共同研究の成果と呼びたい。

Weil: 非常に明《あきら》かなことは、良いアイデアとか、新しい事実の発見とかは、個人からしか生れないということだ。もし共同でその様なことが出来たら、至急電報で知らせて欲しい。そんな驚くべきニュースに対しては、電報代など安いものだ。

S.S.S.: さっき、Bourbakiは本を書くための団体だと云《い》ったが、Bourbakiに入っていれば色々目に見えない利益があるのではないか。

Weil: 勿論《もちろん》そうだ。例へば最初は、数学全体に通じていたのは、私とChevalleyだけだったが、今では全員、大抵のものに通じるようになった。その他有益なことが色々ある。

君たちは共同研究に非常に熱意を持っている様に見えるから注意しておくが、共同で何かやるときには、一種のテクニックが必要だ。Bourbakiは、共同で本を書くテクニックを発見したので、それ以後は、それに従ってうまくやっている。ただ一つ、共同でアイデアを生むテクニックだけは存在しない。

最後に共同研究に対する忠告を三つ。

先《ま》づ、overorganizeし過ぎないこと。次に、常に、あらゆる種類の失望に対し備えていなければならないこと。失望は共同研究の一部であると考えるべきである。

第三に、アイデアは集団から生まれるのではなく、個人から生まれる、という事だ。

――「A. Weil に接して」『谷山豊全集』（日本評論社）より――

加藤　要点だけ取り出せば、S.S.S.は共同研究が必要だと思っているから、ブルバキの例から学びたいと言うんですね。それに対してヴェイユは「アイデアは個人の中からしか生まれない」と力説するわけです。共同でアイデアが生まれるなんてことがあれば、電報で知らせてほしい、と。

これは面白い論点で、先ほど申し上げたように私自身も個人での研究もするし、共同研究もするわけですが、その区別がなぜ起こるのかということが今でもよく分かっていません。

そこで、若干の無茶振りになることは承知の上で岩井さんにお尋ねしたいのですが、例えば文学の世界では共同でアイデアを生むということがあり得るのか、それともやはり個人の中からしか生まれないのか。どのようにお考えでしょうか？

岩井　実は、私も加藤先生にお聞きしたいと思っていたんですが、そもそも数学者の方の共同研究というのは、どういう形態で行われるものなのでしょうか？

加藤　それ、いい質問ですね。

岩井　（笑）

加藤　実は特に決まった類型があるわけじゃないんです。私が最初に共同研究をしたのは、修士の学生だった頃で、共同研究者は当時とある国立大学の助教授だった私よりもずっと年上の方でした。その場合、まず問題を出したのは私で、「こういう問題を考えているのですが、先生はどう思いますか？」と問いかけて、最終的なアイデアはその先生が出されました。

そこから何年か経って私が大学の教員になってから、ドイツの研究所に1年間滞在したことがありました。その際、その研究所にいたベルギー人研究者とギリシャ人研究者と私の3人で共同研究の成果を発表したことがあります。ただ、これが不思議な経験で、共同研究というのはある偶然から結果的に生まれたものだったんです。

どういうことかと言うと、私以外の二人がある問題を考えていて、それが非常にいい問題だったので研究所の中で話題になっていました。私はといえば、「ふーん」という感じでそこまで深くその問題について考えていたわけではないですし、当然答えを持ち合わせてもいませんでした。

ある時、二人がついに解決したということで、その論文のプレプリントが配られました。それを帰りのバスで読んでいたら、間違いに気づいてしまったんです。しかも、間違いだけでなく、こうすればいいという「答え」も分かった。ただ、それをすぐに証明に落とし込めたわけではありませんでした。

それを二人に伝えたところ、最初は信じようとしません。いろいろ議論を重ねていくうちに、最終的に私の見解が正しいということで、議論をしながら彼らとの共同で証明ができあがっていったわけです。つまり、結果的に共同研究になってしまったわけで、こうなるとアイデアは誰が出したのかというのはなかなか難しい問題です。

岩井　たしかに最終的なひらめきは加藤先生個人のものだけれど、そもそも二人の論文がなければそれも生まれ得なかったということですよね。

加藤　そうなんです。

岩井　作家の世界でも、実は共同作業はあって、例えば代表的なのが共同ペンネームです。ミステリーで有名な岡嶋二人《ふたり》さんや降田天《ふるたてん》さん、芥川賞候補にもなった大森兄弟《きょうだい》さんなどがいらっしゃいます。コンビが多いと思いますが、例えばプロット担当と執筆担当に分かれていたり、一人が書いたものをもう一人が読んで修正したりといった形があるようです。

あるいは中央公論新社の「小説ＢＯＣ」というサイトがあって、そこで「螺旋《らせん》プロジェクト」という連載があります。どういうものかというと、一つの世界観の下で同じキャラクターを登場させた小説を、複数の作家が連載していくというものです。プロの作家では珍しいので話題になりましたが、同人誌にはそういったことがよく見られます。

加藤　共同執筆ということですね。

岩井　はい。それと関連して、自分の作品の話になってしまいますが、『文身』（祥伝社）という作品について触れたいと思います。

『文身』出版社あらすじ

好色で、酒好きで、暴力癖のある作家・須賀庸一。業界での評判はすこぶる悪いが、それでも依頼が絶えなかったのは、その作品がすべて〝私小説〟だと宣言されていたからだ。他人の人生をのぞき見する興奮とゴシップ誌的な話題も手伝い、小説は純文学と呼ばれる分野で異例の売れ行きを示していた……。ついには、最後の文士と呼ばれるまでになった庸一、しかしその執筆活動には驚くべき秘密が隠されていた――。真実と虚構の境界はどこに？

この作品を書くにあたって念頭にあった疑問は「仮に作家の仕事を『書く者』と『演じる者』に分けたらどうなるか？」というものでした。そこから、兄が演じ、弟が書く「私小説作家」が生まれたのです。つまり、真に小説を複数名で書くことは可能か？　ということです。

加藤　どうなんでしょう？

岩井　協力して共同で執筆したとしても、書いている間、考えている間の作家の活動はやっぱり孤独なものではないか、影響を及ぼしあうことはあっても、根源的な発想は個人のものではないか、というのが私の意見です。

作家の孤独

岩井　そういう意味で、やはり作家は孤独なものである。だからこそ、作家の中には孤独について言及している人が多いので、いくつかご紹介したいと思います。

萩原朔太郎《はぎわらさくたろう》（1886〜1942）

ショーペンハウエルの説によれば、詩人と、哲学者と、天才とは、孤独であるやうに宿命づけられて居るのであつて、且《か》つそれ故にこそ、彼等が人間中での貴族であり、最高な種類に属するのださうである。（中略）

「孤独は天才の特権だ」といつたショーペンハウエルでさへ、夜は淫売婦などを相手にしてしやべつて居たのだ。真の孤独生活といふことは、到底人間には出来ないことだ。

友人が無ければ、人は犬や鳥とさへ話をするのだ。畢竟《ひっきょう》人が孤独で居るのは、周囲に自分の理解者が無いからである。天才が孤独で居るのは、その人の生きてる時代に、自己の理解者がないためである。即《すなわ》ちそれは天才の「特権」でなくて「悲劇」である。

随筆「僕の孤独癖について」

中原中也《ちゅうや》（1907〜37）

私の云《い》ひたいことは、今や、衣食住だけ足りれば好い人達の時勢だといふことである。平凡万能だといふことである。さうして、平凡万能の時勢が、表明するとしないとに関らず醸《かも》しだしてゐる空気といふものは、智的なものでも芸術的なものでもないといふことである。

それをよいともわるいとも私は思はぬ。然《しか》し、そのやうな空気の中に元気でゐられるといふことは、インテリらしいインテリではないと云ふのである。

そして、その空気が、インテリに適してゐるとゐないとに関らず、つまり、世間が観念を必要としようとしまいと、例へば芸術といふものは、観念に依存した事であるといふのである。

恐らく、芸術家は、昔日《せきじつ》よりも、一層の孤独を必要とするであらう。

随筆「作家と孤独」

吉田修一

でも、偉そうなことを言ってしまうと……、カッコよく言わせてもらうとね（笑）、小説を書くということはね、そのための孤独といいますか、不安といいますか、を引き受けるのが義務だと思うんですよ。だって怖いじゃないですか、一人っきりで小説を書くのって。不安だし、孤独だし。でもそれは小説家として絶対に引き受けなきゃいけない義務であって、だからこそ読者は一人になって小説に向き合ってくれるんだと思うんですよ。

それは、僕自身がそうだったから。自分が本を読んでいる時に、この作家は絶対に苦しい時間、寂しい時間、一人っきりの時間を過ごしたはずだという前提で読むんですよ。そこで対等になれると僕は思っていて。とすると、作家の義務としては小説を書いているときぐらい、その孤独や不安は引き受けなきゃいけないと思うんですよ。

「文春オンライン」インタビューより（https://bunshun.jp/articles/-/130）

萩原朔太郎が指摘している「孤独は天才の特権ではなく悲劇である」ということは、まさに瞭司のことを言ってるような気もします。あるいは中原中也は、今は「平凡万能」の世の中だから、インテリや芸術家は生きにくいと言うわけですね。要は自分たちがその天才芸術家だと言いたいわけですが（笑）、昔から作品を生み出すには自分を孤独に追い込むことが必要だという認識は多くあったことが分かります。

　現代の作家でも、吉田修一先生は、作家が孤独を引き受けることによって、作品と読者の一対一の関係性が築かれるとおっしゃっています。これは小説家だけでなく画家やその他の芸術家にとっても言えることではないでしょうか。おそらく作家というのは、孤独と表裏一体であることを宿命づけられた存在なのではないか、と思うのです。

加藤　この吉田修一さんのお話に出てくる、作家が過ごした苦しい時間というのは共感する部分があります。数学の論文を読んでいる時にも、筆者はここで生みの苦しみを味わっただろうなと感じることはありますが、一方で「孤独」まで想像することは少ないので、そこが小説と数学の違いなのかなという印象を持ちました。

岩井　そうですね。小説は読み手も孤独であるということなんだと思います。小説ってすごく情報量が少ない媒体なんですよね。最近はYouTubeなどの動画が流行りですが、やっぱり映像や音というのはものすごい情報量で、インパクトも大きいし、他の人と共有しやすいところがあります。その点では小説は勝てません。

ただ、小説の情報量の少なさは逆に言うと想像力を働かせる余地でもあって、そういう意味では、読書というのはその人固有の体験となるんだと思います。同じ小説を読んでいても、一人ひとりの受け止め方が違ってくる媒体なんです。

孤独とストイックの違い

加藤　一つ思ったのは、「孤独」と言っても、その中にはいくつか質の違うものがあるんじゃないかということです。例えば、アンドリュー・ワイルズ（1953〜、イギリスの数学者。フェルマーの最終定理を証明した）は、まさに一人きりで何年も掛かって大きな定理を証明しました。

一方で、物理的に一人というよりは問題に没頭するようなストイックさを持った数学者というのも、いい仕事をしているように思います。例えばエルデシュ（1913〜96、ハンガリー出身の数学者。500人以上との共同研究、約1500篇の論文を発表した）は、本当にストイックに数学の研究をした人です。この「ストイック」ということについては、どう思われますか？

岩井　私もエルデシュは好きな数学者です。彼は「エルデシュ語」と呼ばれる独自の言葉で話し、子どもを「イプシロン」と呼んでいた。数学の議論をふっかけては「君の頭は営業中かい？」と言ったという、あのセリフが大好きです。

加藤　文字通り、生活のすべてを数学に捧げていました。

岩井　ストイックということでいうと、昔の文豪はすごいですよね。坂口安吾（1906〜55）なんかはヒロポンを飲みながら書いて、仕事が終わると今度は眠れないからウイスキーで酔いつぶれていた（笑）。今は薬に頼ることはできませんが、それでも尋常じゃない追い込み方をしたり、ものすごい仕事量をしたりする方はいます。

加藤　すごいですね。

岩井　やっぱりそういうストイックさの行き先がある種の孤独に行き着いてしまうのは、数学者や作家の仕事の特色だと思うんです。例えば、営業職の人が業績を上げようとしたら、一人で机に向かって追い込むよりも、人と会って話をしたり、どうしたら喜んでもらえるだろうかと想像するほうがいいわけですよね。

加藤　そういう意味では、ガロアも極めてストイックだったけれども、ある時点からその行き先が数学よりも革命的なほうに向かったのかもしれません。言葉の意味の話になってしまうのですが、ストイックというのは必ずしもワーカホリックのような仕事をたくさんやるということではないように思います。

むしろ、ストイックというのは他の選択肢を捨てて自分を追い込むようなところにこそあるのではないか。

例えば、私は数学が好きで仕事にしていますけれど、そういう意味では十分にストイックではないのかもしれません。なぜなら、数学以外の人生も味わってみたいからです。一回きりの人生ですから、数学とは別の経験をたくさんしてみたいですし、できることならお金持ちにもなりたい（笑）。

おそらくストイックな人は、数学なら数学だけで生きていく、それ以外のものに「浮気」することなんてできないし、考えられないというのではないでしょうか。そういうところが孤独につながっていくのかもしれないと思いますが、いかがでしょう。

岩井　私もストイックではない側の人間でして（笑）。実は私は今もフルタイムで働きながら作家をしているのですが、会社の仕事も面白いし、作家としても成功したい。さらには家庭もうまくいくといいなと思っている。結構、欲張りな人間なんです。

一方で、作家の中にはデビュー前から仕事を辞めて退路を断って小説を投稿し続けるといったストイックな方もたくさんいます。

お話ししながら気づいたのは、そういうストイックさの原動力はどこからくるのだろうか、ということです。作家の場合は、ある意味で自己顕示《けんじ》欲の強い人が多いなというのが私の印象です。少なくとも自分の書いたものを読んでもらいたいと思っている。そうすると、果たしてそれを「ストイック」と呼んでいいのかどうか……。

加藤 数学者の場合も、もちろん難しい証明をできれば気分はいいし、周りから称賛されますが、そういったものや自己顕示欲を原動力にしている人は少ないような気がします。もちろん、人それぞれスペクトルのように違ってはいますが。

そうやって考えていくと、数学で大きな仕事をした人がみんな、「ひとり」という意味の孤独や寂しさを感じているかというとそうでもないような気がしますが、例外なくストイックである、と言うことはできると思います。

ABC予想を証明した京都大学の望月新一教授は、ペレルマン的に孤独な人ではありませんが、きわめてストイックな人です。あるいは私の知り合いでイスラエル出身の数学者であるオーファー・ガバーという人も数学に人生を捧げていると言っていい。そういう意味では数学者にとっての孤独とは、ストイックという言葉に近いのかもしれません。

岩井 少し違う点から見ると、小説家の場合は「売れる」という概念があるんですよね。もちろん売れることがすべてではないけれど、やっぱり売れないより売れたい（笑）。そして、売れることとストイックであることとは実はあまり関係がありません。
　ストイックに小説に向き合っていても売れないこともあるし、逆に賞を取って売れた小説の作者がみんなストイックに小説を書いていたかというと、そうでもないわけです。
　数学の場合は、論理的な正しさを前提とした真理の追究になりますが、小説は単純に面白さや完成度の高さが求められる。簡単に言ってしまえば、ある種の俗っぽさの次元があって、そこが数学と小説の性質の違いになっているのかな、と思いました。

加藤　ここまでのお話で何となく分かってきたのは、「数学と文学の交差点」には「孤独」が核としてありそうだけれども、その孤独にどういう形で棹《さお》さしていくのかというアプローチに差異がありそうだ、ということですね。

岩井　そうですね。では、何で孤独が必要になってくるんだろうと考えてみたんですが、小説については次のように言えるような気がしています。
　小説というのは基本的に、作者の個人的な経験や思考から生まれるものだろうと思います。もちろん、それらをそのまま書くわけではありません。最初から頭の中に小説ができあがっているような人はまずいなくて、経験や思考から生まれた断片を「こうでもない、ああでもない」と組み合わせながら、何とか一つの小説にまとめ上げていくわけです。

こうした経験や思考というのは、そのままでは言語化できていない非常に個人的なものです。それを共有可能なものとして昇華したものが、小説などの知的生産物なのではないでしょうか。その昇華に必要なものが、孤独という装置だと思うのです。だからこそ、小説を生み出すためには、自分と向き合う孤独な時間が必要なのではないか。

ただ、これはあくまで小説について言えることで、数学に当てはまるかどうかは分かりませんが……。

加藤　それで思い出すのは、ポアンカレ（1854〜1912、フランスの数学者。位相幾何学〔トポロジー〕の発展に貢献した）がフックス関数と非ユークリッド幾何の関係に気づいた時の有名なエピソードです。ポアンカレは問題の糸口をつかめずにいたのですが、馬車のステップに足を掛けた瞬間にすべてが分かってしまったというものです。ポアンカレは後に著書でこれを「数学的発見における精神活動の関与」だと言っています。

実際、ポアンカレは四六時中、意識的にその問題を考えていたわけではありませんでした。むしろ日々の生活の中で表面的には忘れていた。彼の中に孤独があったかは分かりません。むしろ彼は上流階級でしたから、友人や社会的な付き合いの中で楽しく過ごしていたかもしれません。ただ、そういう生活の中でも、彼はおそらく無意識に自分の問題を熟成させていたのだと思います。そういう意味での「孤独」はあったのかなと思いました。

岩井　たしかに、そんな高尚なものではないんですが、やっぱり小説のアイデアってお風呂とかでよく思いつくんですね。他の小説家に聞いても、トイレの中だったり、家族でピクニックに行っていた時だったり、執筆と関係のないところで思いついたという話は多いです。

加藤　「3つのB」なんて言葉もありますね。Bed（ベッド）、Bus（バス）、Bath（風呂）でアイデアをひらめくことが多いという。私は個人的な体験から、あと2つ付け加えたいと思っていて、1つはBicycle（自転車）。修士論文の定理を思いついたのが自転車に乗ろうとした時でした。もう1つがBridge（橋）。これはドイツのライン川にかかる橋を渡っている時にいいアイデアを思い付いた経験に基づいています。

岩井　作家だったらBook store（本屋）も入るかもしれないですね（笑）。だから、ここで言う「孤独」というのは部屋にこもって一人っきりでというよりも、自分の中で自由な空想を巡らせる時間のようなことかもしれません。

加藤　前に引用したアンドレ・ヴェイユも「アイデアが人に話せる位にまで成熟するためには、場合により違うが、普通、数ヶ月から数年の間、個人の胸の中で育まれて行かなければならないものだ」と言っていました。これは、まさにそのことを言っていたのですね。

岩井　小説を書くという営みも、アイデアが浮かんでそれを書いたら終わりではなくて、1年も2年もいじくって、ようやく書き終えるということができるんですね。もちろん、書き出すまでの時間を含めるともっと長くなります。そうやって成熟していく時間が間違いなく必要だと思います。

加藤　先ほどドイツで経験した共同研究で、私の直観した答えを証明に落とし込むために3人で議論を重ねたというお話をしました。今、思い出したのですが、黒板に証明をああでもないこうでもないと書きながら議論しているのですが、重要なことを思いつきそうな瞬間には「一人にしてくれ」となる。これは、みんなそうなんです。

私の場合は、当時たばこを吸っていたので、そういう時にはたばこを吸いながら研究所の周りを何周か歩くんです。だから証明に詰まると、彼らは私に「たばこを吸ってこい」と言うんですよ（笑）。

非常に小さなレベルなのですが、あれも孤独に向き合うためのある種の「儀式」なのかな、という気がします。

岩井　先ほど吉田修一先生の言葉を引用しましたが、孤独や不安を引き受けることは作家の義務だけれども、それは非常に怖いことだとおっしゃっています。やっぱり、一人で考えていると、「本当にこれで合っているんだろうか」という不安や緊張感に苛《さいな》まれるわけですね。でも、アイデアを生み出すためには、そういう緊張も必要だと思います。数学者の方もそういうプレッシャーみたいなものは感じられるんでしょうか？

加藤　ありますね。だからこそ、いろいろな意味で周囲の状況というのは大切だと思うんです。完全に一人でそのプレッシャーに打ち勝って仕事ができる人は、一握りの天才だけでしょう。やっぱり人と交流して共同で行うことの大事さというのは、数学の研究でもあると思います。

「共鳴箱」の必要性

加藤　これもヴェイユなのですが、「共鳴箱の理論」ということを言っています。優れたアイデアを持った人には、その人の出す「音色」に共鳴してくれる他者が必要だということです。その他者が共鳴箱だということですね。音叉《おんさ》の音自体は小さいけれど、共鳴箱を通すことで誰にでも聞こえるものになる。

ヴェイユは一流の数学者と二流の数学者を分けて話したので誤解を受け、S.S.S.はそれに食って掛かったりもしたのですが、要は一人の天才がいるだけではダメで、その人の話を聞いて反応してくれるような他者がいて初めて天才がいい仕事をできるようになるということを言いたかったわけです。

岩井　面白いですね。ヴェイユは「アイデアは、孤立していると無くなってしまう恐れがある。そんな時、皆に話していれば、その雰囲気の中で自然に育っていく」とも言っていましたが、これは作家と編集者の関係によく当てはまると思いました。

私もデビューして驚いたんですが、デビュー前とデビュー後では自分の書いたもののクオリティが全然違うんです。それはなぜかというと、やはり編集者の存在が大きいのではないかと思います。アイデアは自分が出すのですが、そこに全く違う方向から指摘や提案が入ることで、それに打ち返す中でどんどん純度が上がっていくのを実感しました。

だから、作家というのは孤独なんですけれど、成果を生み出す過程では多くの人の手を借りているという気がします。

加藤　なるほど。手前味噌ながら、私はおそらくある意味で望月新一さんの共鳴箱だったんだと思うんですね。彼の話を6年間ぐらいにわたって聞き続けた。もちろん、私が数学的なコントリビューションをしたわけではないのですが、彼のほうも私に飽きることなく話してくれた。それは何らかの意味で共鳴箱になっていたからだという気はします。数学の一つのアイデアが熟成される現場を体験したと言えるでしょう。

ここで『永遠についての証明』に戻るのですが、主人公の瞭司にとっては、やはり大学の同級生である熊沢と佐那が共鳴箱だったということでしょうか？

岩井　そうですね。瞭司は田舎から出てきた天才数学少年ですが、大学で熊沢と佐那という二人の友人と出会ったことで、大きな成果を達成するというのが序盤のあらすじです。二人は間違いなく瞭司にとっての共鳴箱であったと思います。

自分でネタバレをしてしまうのですが（笑）、大人になった瞭司は失意の中で亡くなってしまいます。その背景にはやはり孤独があるわけです。熊沢は外国の大学に行ってしまい、佐那は数学科ではなく工学科に行って就職します。恩師も別の大学に移ってしまい、残された瞭司は酒に溺《おぼ》れ、一人寂しく自分の考えた証明をノートに書き綴《つづ》っていました。それは非常に画期的なものであったにもかかわらず、共鳴箱を失ったアイデアはノートの中で埋もれてしまったのです。

加藤　ガロアもやはり共鳴箱を失った孤独は大きかったのではないかと思います。彼の突出した数学的思考の進展を理解できた人は少なかったけれども、それでも何人かはいました。

『ガロア――天才数学者の生涯』（角川ソフィア文庫）という本にも書きましたが、コーシー（1789〜1857、フランスの数学者）はガロアの論文の審査を引き受けながらそれを紛失するほど無関心だったとよく言われるけれど、そんなことはなくて、ガロアの思考をかなり深く理解していて、共鳴箱的な存在だったと考えています。

けれど、そのコーシーも1830年、フランス7月革命の年に亡命してしまうんですね。結局、それ以降のガロアは1832年に亡くなるまで、共鳴箱を見つけることができなかったのです。実際、投獄されていましたから物理的にも孤独でした。

岩井　そうですね。ガロアにとって唯一救われたのは、彼が決闘の前夜、最後に自分の考えをぶわーっと書いて友人に送った手紙が残ったということですよね。もしかしたらその友人が手紙に書いてあるとおりガロアの遺した論文を数学者に見せることをしなかったり、あるいはそもそも友人に渡る前に捨てられたりしてしまう運命もあったかもしれません。

それになぞらえるのであれば、『永遠についての証明』において瞭司が残したノートも熊沢の存在がなければ、そのまま埋もれることになったかもしれません。

加藤　ちょっとその最後の書簡を見てみましょう。これはオギュスト・シュヴァリエ（１８０９〜６８）という友達に宛てた手紙で、事実上の遺書になるわけです。

親愛なるオギュスト、君も知っているように、これらの題目ばかりが僕が研究してきたことじゃない。僕の主要な瞑想は、もう久しく、曖昧の理論の超越解析学への応用に向けられてきた。これは超越的量や関数間の関係において、その関係を保ちながらどのような変換が可能であり、与えられた量にどのような量を代入できるかをア・プリオリに見ることについてだった。これによって、今まで探索されてきた多くの表現の不可能性が即座に認識できるようになった。でも、僕には時間がないし、僕のアイデアはまだその広大な地面の上で十分に発展させられてはいないのだ。

「オギュスト・シュヴァリエ宛書簡」（１８３２年５月29日）

ガロアにはアイデアがあったけれども、それを展開しようとする前に死ななければならなかったわけで、非常に不幸なことでした。岩井さんがおっしゃる通り、この手紙に従ってシュヴァリエが数学者のリウヴィル（１８０９〜８２）にガロアの論文を送ったことが、ガロアの評価につながったとされています。

ただ、これにはこぼれ話があるんです。リウヴィルが発掘するまでガロアは無名だったと一般的に言われていますが、調べてみると実はそうでもなかったらしい。数学界の中ではすでにガロアの名前は有名で、すごいことをやっているらしいという噂《うわさ》はあるけれど、それを理解できる人がいないという状態が何年も続いていたんです。

実は、リウヴィルがガロアを理解しようとした背景にあったのが、当時の数学界で起きていた権力争いだったんです。リウヴィルとリブリ（1803〜69）という二人の数学者が数学界での影響力を争って互いに何とか蹴落とそうとしていた。そんな時にリブリがガロアの考えをナンセンスだと批判したものだから、リウヴィルはそれに対して反論しようと逆にガロアの考えを理解するために一生懸命勉強したんですね。そのことによってガロアの理論が世に広まった。

岩井　じゃあ、権力争いがなければ、ガロアを理解しようとすることもなかったかもしれないわけですね。

加藤　そうですね。少なくとも時期はずっと後になったかもしれません。そうやって周囲の人間関係に左右されるというのも、天才の孤独というものの皮肉な一面だと言うこともできます。

数学と文学の共通項

加藤　今回の対談の視聴者の方からの質問にもありましたが、数学と文学の関係性ということについては、どのようにお考えですか？　似ているところはあるのでしょうか。

岩井　そうですね。小説は基本的には一つの構造物です。もちろん中にはわけの分からないものや支離滅裂であることが面白い作品もありますが、ある程度、起承転結などの流れに沿って作られます。

私も理系の出身で論文を書いたことがありますが、やっぱり論文にもある種の流れがありますよね。だから、数学の論文もそうした流れ、物語的な何かを持っているんじゃないかなと思うのですが、いかがでしょうか？

加藤　それはかなり共通点がある気がしますね。『数学の想像力』（筑摩選書）の第1章にも書いたのですが、数学の中でも特に証明に関しては、論理をつなげていって一つの証明、すなわち大きな流れを作っていくことが大切なんです。いい証明、上手な証明にはやっぱり流れがあって、逆に上手くいかない時というのは、ギャップがあってすっと流れていきません。

数学の証明には、論理を一つずつ積み上げていく方法とは反対に「背理法《はいりほう》」というものがありますよね。これは証明したい命題が「偽」、つまり間違っていると仮定すると矛盾を来すということを提示することで、逆にその命題が正しいことを証明する手法です。

私はこの背理法の「流れ」とは何だろうか？　ということを考えたことがあるんです。背理法というのは、虚構の世界をどんどん大きく膨《ふく》らませていって、ある時に矛盾が起きることで、それまで築き上げてきたその虚構がバサッと崩れ去るような印象です。だから、それは非常に文学的とも言えるし、その背後にはある種の音楽が流れているような気もする。私は、背理法にベートーヴェンの『運命』第1楽章と似たものを感じるわけです。

そういう意味で、数学と文学には共通項となり得る部分があると考えています。

岩井　一方で、その流れというのは単にスムースに進んでいくという意味だけではなくて、ある意味でわけが分からないけれど面白いというものもありますね。私は町田康先生の作品が大好きなのですが、もともとパンクロック出身の方というのもあるのか、一見するとハチャメチャなんだけれども圧倒的な面白さがあるんです。

自分が作家なので、他人の作品を読む際にもどうしても書き手の思考を想像してしまうことがあります。「作者はこう考えたから、この表現にしたんだな」というのが見えるものも多いのですが、町田先生の作品はそういうのが見えないけれど、面白い。ジャンルによる違いもありますが、やっぱり小説の中で一番強いのは、そういう「何でだか分からないけど面白い」ものだと思います。

加藤　わけが分からないくらいすごいという感覚は、分かります。たしかに、小説を読んで感動することはしばしばありますが、数学の論文を読んで感動するのは滅多にありません。それでも、稀に本当に感動してしまう数学の論文というものがあります。

私にとっては、それは例えばベルンハルト・リーマン（1826〜66、ドイツの数学者）です。39歳という若さで亡くなりましたが、彼の論文を読むとものすごく壮大なことを頭の中に描いていたんだなということが伝わってくる。

彼は代数関数の積分という、そのままではどうしようもなく複雑な式でしか表現できなかったことを、面という図形によるビジュアルでいっぺんに表現してみせる離れ技をした人ですが、その発想のダイナミックさにはただただ感服させられます。そしてその現代数学への影響は甚大です。私には分からないけれど、ずっと先まで見ていたんだということで感動するのだと思います。

これはまさに『永遠についての証明』のラストシーン、この講義の冒頭で紹介した文章の中にあった「事実を積み重ねるだけではたどりつけない場所」ということなのかもしれません。

第３章

数学と脳科学

数学者の精神と脳科学の数理

加藤文元 × 上野雄文

上 野 雄 文

う え の ・ た け ふ み

1995年九州大学医学部卒業。博士（医学）。
独立行政法人国立病院機構肥前精神医療センター臨床研究部長・
医師養成研修センター長、九州大学医学部臨床教授、
NPO法人 数理の翼理事長。専門は臨床精神医学、脳生理学。
特に核磁気共鳴法を利用した神経画像の研究に従事。
数理科学のトップ教育を目指すNPO「数理の翼」では
高校生を中心にセミナー開催の陣頭指揮をとる。

脳から数学を読み解く

加藤　今回の対談のタイトルは「数学と脳科学――数学者の精神と脳科学の数理」という、かなり挑戦的なものになっています。

対談のお相手は、独立行政法人国立病院機構肥前精神医療センターの臨床研究部長及び、医師養成研修センター長。さらに、九州大学医学部の臨床教授でもいらっしゃいます上野雄文先生をお迎えしております。長い肩書きですが、現在は脳科学や精神医療をメインにされており、以前は救命救急にも携《たずさ》わっておられた、ものすごいドクターです。

上野　よろしくお願いいたします。

加藤　最初に、なぜ私が上野先生と対談することになったのかということを少しお話しいたします。実を言いますと、上野先生と私はもう20年以上つきあいのある、親友と言える間柄です。「ＮＰＯ法人 数理の翼」という教育団体に二人とも関わっておりまして、よく対話をしているのですが、その中で結構いいアイデアが生まれることがある。まあ、ほとんどはくだらない話なのですが（笑）。いずれにせよ、今日も何かすばらしいケミストリーが生まれることを期待しています。

始めるにあたり、対談においてお話ししていきたいテーマを、いくつか私から投げかけておきたいと思います。これらは、私が数学者として日々気になっていることです。

一つめは、数学というのはきわめて成熟した学問に思えるわけですが、現在もなお進歩しており、そしてその進歩に終わりが見えない。つまり「もう全部分かってしまった」ということにはどうもなりそうもないわけですが、それはどうしてか？　ということです。言葉を変えれば、私たち数学者が、どうして新しい理論・定理・証明を〈発見〉できるのかということでもあります。

二つめは、数学の一見、複雑な議論を人間はどのようにして〈理解〉しているのだろうか、ということです。というのも、数学は非常に論理的な学問である一方で、それが高度になればなるほど〈論理〉で理解しているとは思えないようなことが増えてくるからです。

このあたりは、デイヴィッド・チャーマーズ（１９６６〜、オーストラリアの哲学者）が言うところの「意識のハードプロブレム」の問題に近くなるのかもしれません。ハードプロブレムというのは、その名の通り難しい問題、すなわち、なぜ物質である脳の働きから、心や意識が生まれるのかということです。

そして三つめが、数学における〈正しさ〉とは何かということです。例えば、数学においては証明をすることが必須だとされているわけですが、私は証明だけが「正しさを確信させる方法」だとは思えない部分もあるんです。実際、証明できていなくても〈正しい〉という感覚を覚えることがあります。では、その時の〈正しさ〉とは何だろうかというのが、私にとって非常に大きなテーマとなっています。

ガロアの死亡診断書

加藤　とはいえ、最初から大きなテーマになるとなかなか大変ですので、まずは数学の天才たちにはどのような特徴があったのかを具体的に見ていきましょう。

以前、私も共著でいっしょに論文を書いたこともあるオーファー・ガバー（1958〜、フランス高等科学研究所／フランス国立科学研究センター）さんは、ほとんど一瞬で〈つながる〉と言ってもよいほど、きわめて強い論理力を持った天才です。常人には思いつかないような最も〈自然な〉アプローチを「知っている」としか思えません。

ＡＢＣ予想を証明された望月新一さんも天才と呼べる数学者の一人ですが、彼はむしろ哲学的背景からアプローチしているように見えます。それがなぜ〈正しい〉のか、なぜ〈正しくない〉のかを徹底的に検討しているのです。

そして、自著でも触れていますがガロア（１８１１〜３２、フランスの数学者。代数学の革新、群論の本格的創始などを通して、近現代の数学にきわめて大きな影響を与えた）という人は、いわゆるガロア理論という19世紀以降の数学の歴史を変えてしまうような大発見をしたのですが、稀に見る天才であったでしょう。資料から推測するに、おそらく全体像を見渡す（なかば非論理的な）能力があったようにも思われます。

ガロアは、フランス復古王政から7月体制にかけての複雑な政治状況の中で急進的な共和主義者として活動し、その罪で逮捕され服役します。そして20歳の若さで決闘の末、命を落とすのですが、実はその際の死亡診断書が残っているんです。まずは、それを見ていただきたいと思います。

ガロアの死亡診断書

1832年6月7日付けのGazette des Hôpitux（ガゼット・デ・ゾピト：病院新聞）、コーシャン病院

優秀な数学者であり、とりわけその豊かな構想力で知られる21歳の青年エヴァリスト・ガロアが、25歩の距離から発砲された弾丸を受け、12時間に及ぶ激しい腹膜炎との闘いの末、死亡した。

24時間後に行われた解剖の際、頭部左側部に毛髪に隠れた広範な斑状出血が認められた。

頭蓋骨を覆う膜を取り去ったところ、小児期には2つの部分に分かれている前頭骨が鈍角に癒合《ゆごう》している様子が確認された。前頭骨の厚さは最大でも2・5リーニュ（約5・6ミリ）である。頭頂骨と接合する前頭骨の縁《へり》は、両骨の接合部に沿って、かなり深く平らな環状の窪《くぼ》みを呈する。頭頂結節は非常に発達しており、お互い離れている。この部位の発達は著しく、さほど発達していない後頭骨と対照的である。後頭骨の厚さは3

リーニュ（6・8ミリ）を超える。

頭蓋を環状に切開したところ、前部において前頭洞《ぜんとうどう》どうしを隔《へだ》てる間隔が非常に狭いことが確認された。その距離は2リーニュ（4・5ミリ）に満たない。頭蓋中央の2か所の陥没《かんぼつ》は、上述の基部に合致する。頭蓋底においては前頭蓋窩《ぜんとうがいか》がかなり前に突き出しており、そのぶん前頭洞が萎縮《いしゅく》している。中頭蓋窩は深く、ほっそりした側頭骨岩様部《がんようぶ》は大きくない。後頭蓋窩は小さい。

大脳は重く、脳回《のうかい》は幅広で、脳溝はとりわけ側部で深い。隆起部は頭蓋骨の窩《くぼ》みに合致しており、左右前頭葉の前部にそれぞれ一つ、上面の頂点に二つ存在する。

脳実質はおおむね柔らかい。脳室の空洞は小さく、漿液《しょうえき》は含まれない。松果腺《しょうかせん》は大きく、灰白顆粒《かいはくかりゅう》をいくつか含有する。小脳は小さい。大脳と小脳を合わせた重量は3リーヴル2オンス、マイナス1グロ（約1557グラム）である。

ガロアは、横向きの状態で、右側寛骨の上前腸骨棘《じょうぜんちょうこつきょく》の内側1プース（約27・0ミリ）のところに弾丸を受けた。弾丸は腹部内臓を通過し、腰筋、腸骨筋、寛骨それ自体を貫通し、中殿筋《ちゅうでんきん》と大殿筋の間の皮膚の下に突き出た。

弾丸は皮膚を貫通後、前腸骨動脈から分岐して上行する動脈を傷付け、盲腸を貫通し、小腸の中間部を突き抜け、下行結腸をかすめて引き裂き、左側寛骨をねじ切りのように貫通し、外側に向けて粉砕した。この粉砕によって生じた鋭角部には鉛の破片が、また、弾丸にはこの鋭角部が作り出した溝が認められる。

小骨盤には6オンス（約１８４グラム）の血液が流出していた。すでに小腸は粘着のため、赤い斑点のある腹膜に一体化していた。

（訳注：各単位の換算値は時代や地域によって複数の方法があり、概算である）

この死亡診断書によると、ガロアは頭の左側に大きな打撲傷があったようで頭部の所見についても記述があります。まずはここから何か読み取れることはありそうかを上野先生に伺ってみたいと思います。

上野　まず、直接の死因は急性腹膜炎とのことですが、この死亡診断書には頭部についての記載が非常に多い。半分以上は脳に関する記載になっています。やはり、当時の医療関係者もガロアの脳というものに非常に高い関心を持っていた、あるいは解剖の所見で普通とは異なることが多く見つかったということなのではないかと思いました。

記載の内容からはガロアの脳は大きく、特に頭頂葉や前頭葉が大きかったことが読み取れます。また、皮質の占める割合はこの記載からは読み取れませんが、脳回や脳溝の大きさの記載から皮質が発達していることも分かります。

「数学脳」はあるのか？

加藤　ガロアは、生前はその業績が理解されずに終わった不遇《ふぐう》の天才であるということがよく言われていますが、私は当時からある程度多くの人に認知されていたのではないかと考えていますす。これは数学者としてもそうですし、革命家・政治活動家としても広く知られていました。

このガロアの死亡診断書の冒頭にも、「優秀な数学者であり、とりわけその豊かな構想力で知られる21歳の青年エヴァリスト・ガロア」と書いてあるように、そもそもガロアが天才であることは有名で、だからこそ死亡時に彼の脳を調べてみようということになったのかもしれません。

この死亡診断書から、ガロアの脳が発達していたことが読み取れるということでした。これはすごくナイーブな質問になってしまうのですが、一般論として人間の脳にある種の才能――ここでは数学脳と呼べるようなもの――が表れることはあるんでしょうか？

上野　明確に脳のこの部位が数学に関係する「数学脳」だというような知見はありません。ただ、最近の研究にそれと関係しそうな面白いものがあります。

例えば、「4」と「2」という数字を「2」のほうを物理的に大きい字で、「4」のほうを小さい字で書いて、「どちらが物理的に大きいか？」と問います。当たり前ですが、これは「2」と答えるのが正解です。しかし、数字感覚の発達した人、端的に言えば数学が得意な人の中には、思わず「4」を選んでしまうということが起こるわけです。もちろん、すぐに間違いであったことには気づきます。

一方、算数や計算が苦手な「算数障害（dyscalculia）」に近い人は、ほぼ例外なく「2」を選びます。そして、これは日本ではとてもできない実験なのですが、そうした人たちの脳の頭頂葉に電流を流して刺激を与えると、「4」を選ぶ人が増えたという結果を得られたそうです。彼らはそこから、頭頂葉に数学の基本的能力を左右する機能があるだろうと論文に書いてあるのですが、正直これは眉唾《まゆつば》なものである可能性が高いと思っています。

加藤　そうなんですか（笑）。

上野　それから、これはご存じの方もいるかもしれませんが、アインシュタインの脳についての話があります。アインシュタインはアメリカで亡くなりましたが、その脳は解剖を担当したトマス・ハーヴェイという病理学者が保存していて、後にその切片は他のさまざまな病理学者に配布されました。実は、これは遺族の同意なしに行われたことであり、つまりアインシュタインの脳は盗まれたのでした。

1980年頃、カリフォルニア大学バークレー校の神経解剖学者マリアン・ダイアモンドがアインシュタインの脳を科学的に解析しました。普通に考えると、脳の機能はニューロン（神経細胞）に関係しそうな気がします。しかし、アインシュタインの脳におけるニューロンの形も数も、一般的な人の脳と顕著な差はありませんでした。

一方で、アストロサイトやオリゴデンドロサイトなどの「グリア」と呼ばれる細胞の数には差が見られました。特に頭頂葉では、通常2、3個のニューロンに対して一つのグリア細胞があるのですが、アインシュタインの脳はその2倍のグリアがあったのです。
グリアというのは、日本語だと神経膠《しんけいこう》細胞と呼ばれます。グルー、つまり糊《のり》（膠《にかわ》）からつけられた名前が示すように、当初は神経細胞の間を埋めているだけのものと考えられていました。その後、栄養を運ぶなどさまざまな役割があることが分かってきましたが、それらはあくまでニューロンの補助と考えられていました。しかし、最近では記憶や学習などの高次機能に関係するとされ、研究が進められています。
こうしたことから、ガロアやアインシュタインといった天才の脳を見ると、どうも前頭葉や頭頂葉が非常に重要な役割を果たしているのではないか、と言うことはできるでしょう。

加藤　前頭葉や頭頂葉というのは、そもそもどのような働きをしているのかを教えていただけますか。

上野　はい。では、一般的に脳の各部位がどのような働きをしているのかということを簡単に見ていきましょう。

頭頂葉という部位は、まずは体性感覚を司《つかさど》っています。つまり手足の触覚であるとか、

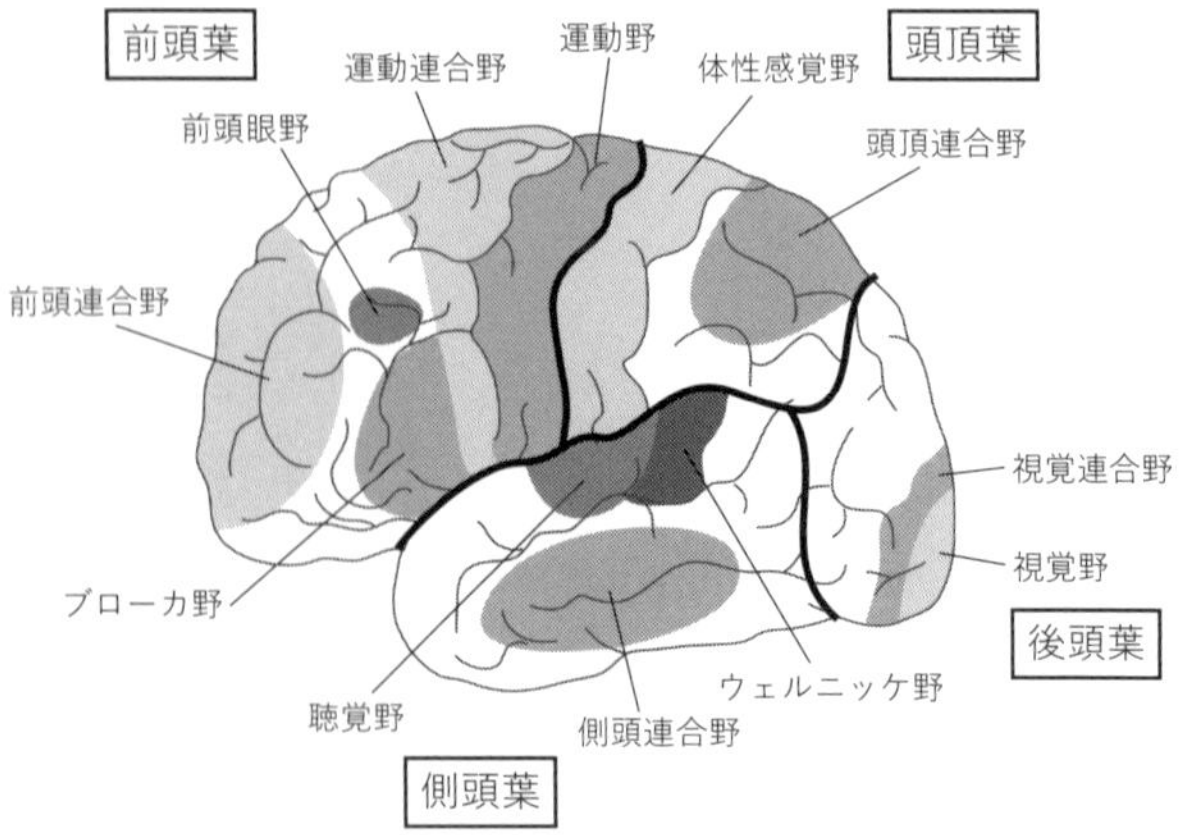

脳の部位

筋肉を動かすような感覚です。また、視覚すなわち目から入った情報は一時的に後頭葉に集まり、そこから頭頂葉へ送られることで、体性感覚と統合されます。

このような統合を担っている部位が損傷すると、場合によっては字が書けなくなる失書や計算ができなくなる失算などの症状が現れます（ゲルストマン・シンドローム）。

そして、前頭葉とは認知機能や運動機能を司っており、進化論的には人間ならではの部位だとされています。前頭葉が持つ機能の全容はまだ医学的にも未解明なところがあるのですが、例えばサルとヒトを比べると、ヒトの前頭葉は非常に発達しています。

前頭葉は、人間ならではの感情や道徳的な価値観、宗教観などに関連するとされています。実際、この部分を損傷すると情動に大きな影響を与える場合があることが知られており、一番有名な例としてはフィネアス・ゲージというアメリカ人の例です。

１８４８年のことです。ゲージは鉄道を敷く作業に従事していましたが、その作業中の事故で鉄棒が頭部を貫通するという大けがを負いました。この事故によって、彼は前頭葉をひどく損傷しますが、奇跡的に回復し、左眼を失明したものの身体的には再び働けるまでになります。しかし、性格的に別人のようになってしまい、激高したり飽きっぽくなったりするなどの変化が見られたとされています。

実際のゲージの症状がどのようなものであったかは諸説あるようですが、その後の研究でも前頭前野が人間の情動や知性に深く関わっていることは示されています。

加藤　そういう意味では、頭頂葉や前頭葉が、人間だけが持つであろう数学の能力に関わっているだろうと言っていいんでしょうか？

上野　関係はあるかもしれませんが、そもそも脳のどの部位がどの機能に関係しているというのは、あまりきっちり区別できないのです。ゲージの例のように、脳の特定の部分だけを損傷した事例はほとんどありませんし、損傷させる実験などやりようがありませんから。

加藤　だから、さっきの話にもあったように、脳の特定部分に電流を流すような実験で代替するわけですね。ただ、それは日本ではできないと……。

上野　そうですね。倫理的なハードルも高いですし、そもそも本人の同意が得られません。

加藤　数学の能力が高まるなら、私はやってほしいかもしれない（笑）。

数学と視覚の関係

加藤　先ほど、頭頂葉の機能として体性感覚と視覚の結合があるというお話がありましたが、これは数学者の観点からもピンとくるところです。というのも、数学における正しさの認識というのは、体性感覚、もっと言えば感覚運動（sensory-motor／センソリーモーター）と密接な感覚があるのではないかという気がするのです。

さらに、数学にとっては視覚というのも非常に重要なんです。これは科学的証拠があるわけではありませんし、目の不自由な数学者の方もいるので一概には言えないのですが、数学の才能の一つに、視覚的に数学を捉える能力というものがあるというのは実感としてあります。

ですから、その二つがどのように統合されているかというのは、その人の数学的な能力や新たな発想が生まれる土壌として、脳のその部分があるのかもしれない、というのが率直な感想です。もしそうであるなら、私も数学のアイデアが枯渇してきたら、電極を刺してもらって……。

上野　それこそ、厚生労働省をはじめ国の倫理委員会などの許可を得なければなりませんから、相当難しいでしょうね（笑）。

加藤　ちなみに、電極を刺さずに脳の特定部分を刺激するってことはできるんですか。

上野　最近は「経頭蓋直流電気刺激法（tDCS）」という、頭蓋骨の上から微弱な電流を流して脳を刺激する方法が確立されつつあります。ただ、いずれにしても単なる実験のために使用するのはなかなかできないでしょうね。

それに、先ほどの論文にも注意書きがあって、計算障害の人の計算能力には改善が見られたけど、代わりに他の能力が悪影響を受けたそうです。脳の特定の部分の能力を活性化させると、他の部分が犠牲になるということなのかもしれません。

加藤　たしかに、ガロアにしても私の知っている数学の天才と呼ばれるような人にしても、じゃあ私が彼らのようになりたいかというと、ちょっと躊躇《ちゅうちょ》してしまいますね。これも科学的でないかもしれませんが、やっぱり数学者って変わった人が多いような気がします。それも脳の機能が関係しているのかどうか……。

上野　ところで、先ほど加藤さんが数学における視覚の重要性という話をしましたが、それは必ずしも網膜を通した像である必要はないのかもしれません。

ピアニストの辻井伸行さんは、ご存じの通り生まれた時から視覚障害を持たれているわけですが、彼を取材したドキュメンタリー番組を見ていたら、辻井さんが「この間、母と昔のビデオを見た」という話をしていました。つまり、彼の中で「見る」という感覚はあるわけです。調べてみないと確かなことは言えませんが、もしかしたら彼がそう言う時には、脳の中の視覚野が活動しているのかもしれません。

加藤さんのおっしゃる数学における「見る」という感覚も、これと似ているのではないかと、ふと思いました。

加藤　おっしゃる通りで、数学の問題を考えていて「分かった」となった時の感覚は、「見えた」というのと非常に近いものがあるんです。もちろん、高度に抽象的になれば具体的な絵ではないのですが、本当に視覚的なものだと言える。やはり、数学の能力というのは、論理だけでなく体性感覚や視覚と渾然《こんぜん》一体なものではないかという気がします。

数学者も言葉を通して考える

加藤　脳と数学ということで、もう一つ思ったことがあります。私たち数学者が数学をやっている時は、ひたすら数式だけで考えているわけではなくて、普通の自然言語でやっているんです。数学で使う自然言語はメタファーが多くて、抽象的な代数学においても「フラット（平坦）」であるとか「スムース（なめらか）」、あるいは逆に「カスプ（とがった）」といった感覚的な言葉をよく使います。

ということは、やはり数学の能力にも脳の言語野の発達具合などが関係してきそうな気がするのですが、いかがでしょうか？

上野　いや、実はそれは逆なのではないかと僕は思っているんです。ブーバ・キキ効果というものをご存じでしょうか？

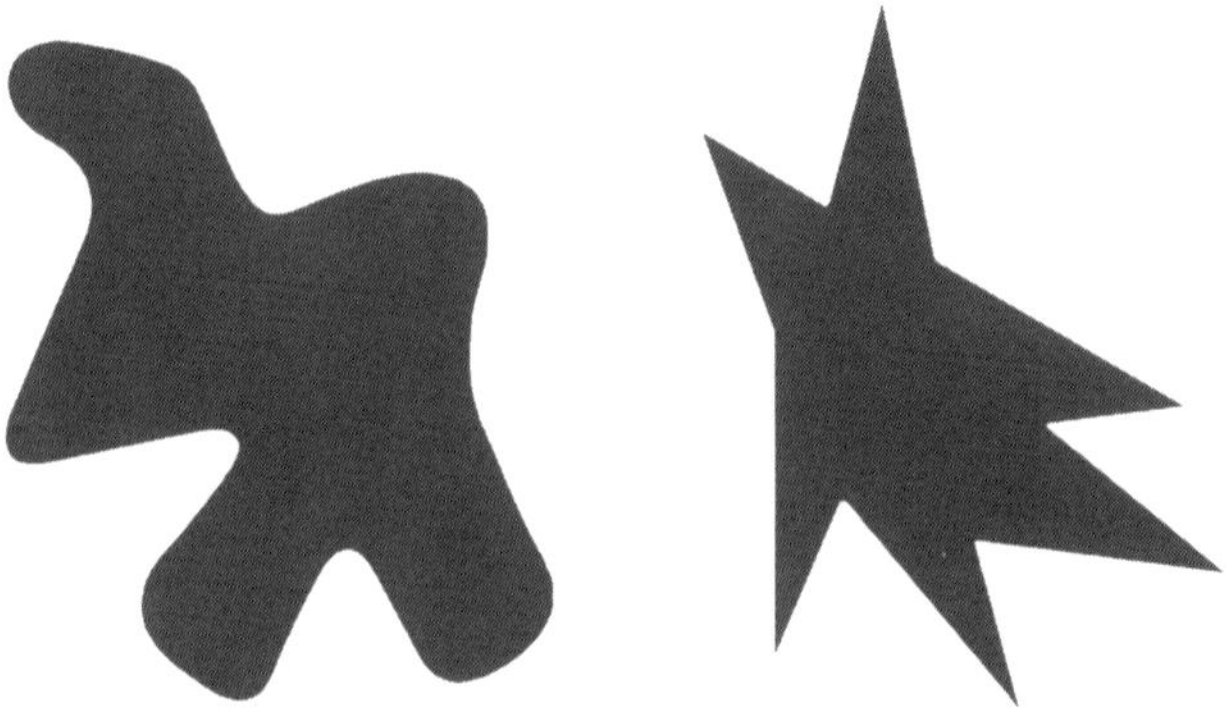

ブーバ・キキ効果
2つの図形を見せて「どちらが〈ブーバ〉でどちらが〈キキ〉か？」と問うと、ほとんどの人が左がブーバで右がキキと答えた。
（出典：Ramachandran, V. S., & Hubbard E. M. (2003). Hearing colors, tasting shapes. *Scientific American*, 288, 52-59.）

加藤　それは何でしょう。

上野　これは心理学の実験なのですが、角の丸い曲線からできた図形とギザギザの角がある直線からできた図形の二つを見せて、どちらが「ブーバ」で、どちらが「キキ」だと感じるかというものです。ブーバもキキも、特に意味はない言葉です。

この実験の結果を取ると、大人であるか子どもであるか、母語が何であるかを問わず、丸いほうがブーバで、ギザギザのほうがキキだと答える人が、ほぼ100%となっています。つまり、この音と形の組み合わせ感覚というのは言語を習得する以前からあるもの、誰かに教えられて身につくものではないということです。

これは逆に考えると、むしろ言語というものはこういった感覚から生まれているのかもしれない。それは言葉をつくり出すという人間の能力の一つであるわけですね。そんな大げさでなくても、今の若い人が「ヤバい」を肯定的な意味で使うのに私などはまったく慣れないわけですけど、すでにある言葉を新しい意味で使うのも、創造だと言っていいのではないでしょうか。

数学を生み出す能力というのは、そうした創造の中でも最も挑戦的なものの一つではないかと思います。数学という非常に抽象的なものに対して、論理を与える過程で、加藤さんがおっしゃったような自然言語の表現を生み出しているのではないでしょうか。

加藤　たしかに、数学における新しい概念にどういう名前をつけるかというのは、すごく重要なことなんです。人によってその上手下手があって、やっぱりいい名前がついた概念はいいもの、すなわち大きな影響を与えるものが多いように思います。この名づけということも才能だと思います。

そういう意味では、言語が担保する論理を超えたところに数学があるのではないかと感じることがあるわけです。

数学の理解が論理を超えたところにも根ざしていると思われる理由は、ほかにもいろいろあります。数学者はそれぞれのスタイルで研究をしていると思いますが、多くの場合、自分で設定したり、他の人が提出した問題を解いたりすることになります。

大きな問題を解くには、その途中で小さな問題をいくつも解いて、一歩一歩進んでいかなければなりません。そしてそれらの〈途中の問題〉を解く時は大体において、その答えも同時に予測しています。「おそらくこうなっているだろう、こうなっていれば都合がよい」といった感じです。

そして、その答えを予測するというプロセスは、証明などの論理的な手続きを踏まずに行います。ですから、少なくとも「とても論理的だ！」とは言えない状況です。論理的な手続きによらない、なんらかの非論理的な認識プロセスがそこにはあるようです。

そういうことは別に珍しいことではなく、数学の研究では日常茶飯事に行われていることだと思います。「長年のカン」とかそういう世界です。こういうことは現象学的にはこうだああだと述べることはできますが、実際に脳の中ではどういうプロセスが働いているのか、というのは非常に興味がそそられるところです。

上野 そうですね。言語化できない思考過程が非常に重要で、これを言語化する時に言語の創造が生まれるといってもいいかと思います。臨床医学でも「長年のカン」というのはあるように感じます。

数学における〈正しさ〉とは何か

加藤 さて、最初に掲げた疑問のもう一つが、正しさの問題です。すなわち、数学における〈正しさ〉とは何か、ということ。もっと言えば、数学には厳密な証明がつきものですが、果たして証明だけが正しさを確信させる方法なのだろうか、ということです。

このように問うからには、私はそうではないのではないかと考えています。というのも、日々数学をする中で、証明できなくても〈正しい〉という感覚を覚えることがしばしばあるからです。

では、そもそもこの〈正しい〉という感覚はどういった脳の働きから生じてくるものなのだろうか、ということをナイーブな疑問であるとは思いながらも投げかけてみたいと思いますが、いかがでしょうか。

上野　それこそ、この問いに「正しく」答えることは難しいですね（笑）。脳科学というよりは精神科医としての視点になりますが、正しさというのは「信仰」に近いものではないかと思うんです。

僕が臨床で診る患者さんの中には、例えば「自分は天皇の子である」と言う人がいる。それはありえないことだけれど、彼の中では絶対的に正しいわけです。これを精神科医が論理的に違うと説得をしてもほとんど意味がありません。

もちろん、症状に応じて薬物療法を施《ほどこ》すことで、そうした妄信《もうしん》が解けることはあります。ただ、それも結局、その人の頭の中で正しいと信じられているということに違いはないわけです。

例えば、私たちは毎日睡眠をとりますが、次の日の朝起きた時に同じ自分であるという保証はないわけですよね。でも、そんなことを疑う人はほとんどいないということからも分かるように、みんな根拠はないけど信じている。まあ、一部の哲学者とかはびくびくしているのかもしれないけれど、それは明日の朝も同じ自分であることを証明することなんて不可能だからです。

結局、私たちは昨日も今日も同じことが起きていれば、それが明日も繰り返されるだろうと無条件に信じているだけなのです。太陽が昇ってくるというのも同じことです。

加藤 数学的あるいは論理的に言えば、帰納法ということになりますね。あるいは科学の世界では再現可能性ということでもある。

上野 以前、広中平祐《ひろなかへいすけ》先生（1931〜、数学者、ハーバード大学名誉教授、1970年に「代数多様体の特異点解消理論」でフィールズ賞を受賞）から物理学と数学の違いについて教えてもらったんです。

例えば、大砲で標的を撃つことを考えます。砲弾は重力の影響を受けますし、地表は球面になっていますから、それを前提として弾道を計算して、発射角度を調整しなければなりません。それを算出するのが物理学である、と。

　では、数学はどうか。数学というものは、この地球が球ではなくドーナツ状だとしたらどうか、あるいは8の字の浮き輪のような形だったらどういう撃ち方をしたらよいのかといったことを考えるものだというのです。

　物理学は、実際に撃ってみれば計算が正しかったかどうか分かりますが、数学の世界は実験をすることができません。こうした頭の中だけの世界において〈正しい〉ということを、自分だけでなく他人と共通理解できることはすごいことだと思うのですが、むしろその感覚はどのようなものなのか、ということを加藤さんにお聞きしたいですね。

加藤　人間の頭の中での〈正しさ〉というのは、極論すれば信仰に近いものであるということですね。そうだとすると、私は数学における〈正しさ〉というのは、それとは少し毛色が異なるものではないかという気がします。やはり、数学においては「客観的」ということが重要であるからです。

　先ほど、ある種の妄想を持った人にとっては、その妄想が絶対的に正しいものであると上野さんはおっしゃいました。それは、論理整合性の問題ではなく、薬物などによって神経回路が正常につながるようになると消えることがあるということでした。

これは仮定の話なのですが、では逆に、数学的な〈正しさ〉を持っている人に何らかの薬物を投与することで、その数学の〈正しさ〉を揺るがすことができるのだろうか？　と考えてみると、僕はそうはならないのではないかと思うのです。

その人にとっての〈正しさ〉が変化しても、他の人たちの〈正しさ〉には何も影響しません。では、すべての人類に薬物を投与して集団ヒステリーに陥《おちい》ったとしたらどうか？　それでも数学の〈正しさ〉が変化したことにはならないでしょう。数学の〈正しさ〉は人間が作り出すものであることは確かですが、人間の外にあるものであるわけで、そういう意味ではとても不思議です。

もう一つは、帰納的な意味での正しさというお話――つまり、同じことが繰り返されるということから正しさが生まれてくるということがありましたが、それと同じように数学における〈正しさ〉は学習できるのか、ということです。これについても私は懐疑的で、私自身は数学の〈正しさ〉を知っていると思っているわけですが、それは学習して身につけたというのとは違う気がしているんです。そのあたりは、いかがでしょうか？

上野　僕は、正しさというのは一つひとつ積み上げていくようなものではないかと思っています。かなりの部分は訓練して、論理を構築していくことで進んでいく。

　ただし、リーマン（1826～66、ドイツの数学者）のような天才は、普通の人が一つの方向に進もうとするのに対して、逆の方向から見たほうがいいということに気づくことができるわけです。例えば、ガウスなどに始まり複雑化されてきた代数函数論を「面」という概念で捉え返すというようなことは、リーマンのすごさです。

　ただ、それらもやはり経験に裏打ちされた知識の立脚点があって、そこから逆の見方や発想が生まれたということではないでしょうか。


加藤　なかなか難しいですよね。数学の新しい概念というのをどう捉えるかという時に、二つの見方があると思うんです。

　一つは、それぞれの数学者が正しさの「層」を一層一層積み重ねていって、ある時、何らかのブレイクスルーによってそれらがつながって新たな正しさの地平が生まれるというような考え方。

　もう一つが、正しさというのはもともと人間の外にあって、我々は何らかの訓練によってだんだんそれが見えるようになっていくという考え方です。

野山を駆け回ることと発想力

上野　私は人間の外にあるのだと思います。だから、そういう意味では数学にとっても、自然に対する感覚が重要になってくるのではないでしょうか。小さい頃に野山を駆け回って遊んでいた人のほうが、整然とした都会みたいなところで育った人よりも数学的な発想力は高いという話があります。

加藤　本当ですか⁉

上野　まあ、噂レベルですけどね。例えばインドの数学者ラマヌジャン（1887～1920）なんかもバラモンの生まれとはいえ貧しい家庭で、良い環境で勉強していたわけではありませんでしたが、非常に美しい自然の中で育った。これは数学に限ったことではありません。日本でも大河ドラマになった渋沢栄一は、埼玉の藍《あい》農家の生まれでしたし、優れた起業家にもそういう自然の中で育った人が多いという説もあります。

加藤　要は、自然の中で遊ぶうちに、その自然の構造に脳が対応することで思考力が高まるということでしょうか。私自身も、仙台のかなり田舎のほうの出身です。

上野　もちろん、自然の中で育ったからといって、みんなが数学者や起業家になるわけではありませんが。

加藤　たしかに、そうした体性感覚が、数学のような抽象的な思考にも影響するというのは実感としても分かるような気がします。

ところで、こうした自然と数学の関係を考えていくと、必然的に頭に思い浮かぶのは、生物から宇宙に至るまで万物のしくみに数学が適用できそうに思えてくるのはなぜか、という問いです。

上野　アインシュタインは「経験とは独立した思考の産物である数学が、実在の対象と、これほどうまく適合しうるのはなぜなのか？」という問いを発しました。

このことは、数学とはあまり関係がなさそうな医学の世界においても言うことができます。例えば、ある脳に作用する薬を作る際には、ある受容体と結合するリガンドと呼ばれる物質をつくるために、たんぱく質の構造を波動関数や虚数を駆使して計算するわけです。つまり、数学によって薬を作っていると言っても過言ではありません。そうして数学で作った薬が実際に臨床の現場で役に立っているのです。

ですから、やはり数学というのは人間の頭の中だけのものではなくて、何か普遍性を持っているのだと感じます。

加藤　一方で、数学が単純に普遍的かというと、必ずしもそうではないのではないかと思うんです。数学の普遍性は高いと思いますが、やはり人間の身体の構造や地球上で生まれ死んでいくといった環境条件に強く依存している部分もあるのではないでしょうか。
極端な話、宇宙人が数学を持っていたとして、それは人間の数学とはかなり異なるものになっているのではないか。例えば、トンボの複眼のような眼を持っていたら、人間の空間認識から生まれた幾何学とはだいぶ違う枠組みになるのではないかと思うのです。

上野　それはなかなか難しい問いですね。

機械に数学はできるか

加藤　これまで数学者の脳のメカニズムについてお話をしてきましたが、今度は逆の視点から見て、脳科学における数理ということについて話していきたいと思います。

例えば、よく話題になる例ですが、ロボットにも数学はできるのか。もちろん、計算ができるのは当たり前ですが、先ほどから述べているような新しい数学概念や正しさの発見はできるのか。

最近は機械学習の技術の進歩がすさまじく、最終的にはコンピュータが人間の脳をシミュレートすることで、人間と同じ能力を獲得すると主張する人もいます。仮にそれが実現すれば、ロボットにも数学ができるということになりますよね。そのあたりはどうお考えになっていますか？

上野　僕は楽観論者で、コンピュータが数学をできるようになることはあり得ると思っています。ただ、人間が一目見ただけで分からないような複雑で「汚い」定理はたくさん出せるのかもしれないけれど、いわゆる「美しい」定理のようなものに対する感覚を持つことができるかどうかは分かりませんね。

加藤　もちろん、そういうことを含めて今の質問だったわけです。コンピュータは圧倒的に計算が得意ですから、ある種の規則を与えられた中で、そこから定理として導かれるものをたくさんつくり出すことに関して、人間は敵《かな》わないでしょう。

では、そんな定理が1万個できたとして、それは果たして「数学」なのかということです。おそらくその中に人間が見て面白い定理はないのではないか。やはり、人間のやる数学の営《いとな》みには何かストーリー性があって、ランダムに発せられた膨大な定理の集積とは違うのではないかと思うわけです。

上野　いわゆる「クロネッカーの青春の夢」という話があるじゃないですか。

加藤　この講座を受講されている方は数学に詳しい方も多いと思いますが、「クロネッカーの青春の夢」という言葉を説明しておきましょう。

19世紀ドイツの数学者クロネッカー（1823～91、代数的整数論などの分野で大きな業績を残した）は、大学卒業後は家業を継いでいたのですが、数学への思いが断てず学者として復帰します。その際にクロネッカーが思い描いていたのが、20世紀に類体論に発展する代数方程式と楕円関数論が交差するのではないかという夢だったのです。

上野　つまりクロネッカーは、その時点では分かっていなかったけれども、そうなったらいいな、そうなりそうだなという「夢」を持って、そこを目指して数学の研究をしていったわけです。そういう夢とか願望のようなものをロボットが持つことができるかというのは、まだ疑問で、これからの課題となっていくでしょう。

夢というのは飢餓感でもあるわけです。人は放っておかれれば空腹感を感じます。電源さえあれば永遠に動くことができるし、死ぬこともないロボットが持つ感覚と人間の感覚では、やはり大きな隔たりがあるように思います。

加藤 おっしゃるように、夢というのは間違いなく数学を動かしている原動力の一つだと思います。人間というのは有限な生命を持った動物だからこそ、何かを目指そうとする意志の力が生まれるのかもしれません。

あるいは、先ほどのセンソリーモーターの話に戻りますが、身体感覚や運動感覚が思考に影響を与えることは十分に考えられるわけで、そうした感覚が異なるロボットにとっての数学と人間の数学は、必然的に異なるものになるのではないか。

・ロボットのやる数学が人間の数学と同じものになるためには、そうした部分も似せてつくる必要があるのかもしれません。

数学が「一つ」であること

上野 それは結局、数学とは何かという問いにつながってくると思いますけど、私にはもちろん、数学者の人にとってもそれは難しい問いです。

広中平祐先生がおっしゃっていたことですが、40歳くらいでフィールズ賞を受賞した頃にはまだ数学が何か分からなかったそうです。60歳近くになってようやくいくらか分かるようになってきたようで、それは無限を有限にすることだとおっしゃっていました。言われてみればそんな気もしてくるのですが、どうでしょうか？

加藤　先ほども広中先生の話が出てきましたが、私たち二人は広中先生の薫陶《くんとう》をかなり受けています。広中先生の真意は正直なところ分からないのですが、例えば数学の定理というのは非常に特殊な状況でしか成り立たない「有限」なものです。しかし、そこには数学の「無限」な応用範囲が表現されているとも考えられます。

ただし、広中先生の「無限を有限にする」という言葉を借りれば、このことは数学だけに限らずそれ以外の分野、例えば精神医学についても言えることなのではないでしょうか。

上野　そのとおりだと思います。医学者といえども脳の構造や病理について、もちろんすべてを知っているわけではありませんし、おそらく知ることはできない。患者の方を診ていても、教科書に載っているままの症例なんて一つもないわけです。

たしかに、うつや統合失調症などのようにある程度分類することで、こういう場合はこの治療法や薬が効くであろうと予測することができますが、ではそれで人間の精神や脳の全体が分かったのかといえば、そういうことにはなりません。

おそらくそれは、数学における代数や幾何、解析といった分野についても同様のことが言える気がします。

加藤　数学においては、その側面が非常に強いと感じています。今おっしゃった代数学は数の学問で、幾何学は図形や空間の学問、解析学は関数の学問だと大雑把《おおざっぱ》に言うことができます。これらは全然別のものなのに、やはりどこかで数学として一つにまとまっている。でも、よく考えるとそれは不思議ですよね。

生物学が天文を扱うことはないはずですが、代数や幾何、解析というのはそれと同じくらいの隔たりがあるように思えます。いつばらばらになってもおかしくないにもかかわらず、それがゆるくつながって数学として一つにまとまっているのは、私は非常に不思議なところだと思っています。

この多様なものがゆるくつながっているという特徴が、数学がいつまでも進歩することができる一つの要因なのではないでしょうか。

上野　医学においても、例えば心臓外科医が心臓のことだけ見ているかといえばそうではなくて、やはりその他の臓器や体の部位とのつながりの中で考える。そもそも、人間の体の元を辿《たど》れば、同じ一つの細胞から生まれたものですから、そういう感覚というのは医学の中にもあるように思います。

加藤　では、数の理論と図形の理論と関数の理論が、一つのまとまったものとして見えるということは、精神医学の見地から説明がつくものでしょうか？

上野　それはちょっと分からない（笑）。

加藤　もちろん歴史的に見れば、代数学や幾何学は別々にあったわけで、それらがだんだんと一つの体系に統合されてきたことには文化的な背景、もっと言えば人間臭い何かがあったようにも思います。

数学が一つにゆるくまとまった多種多様な学問の寄せ集めなのだという側面は、さらに「どこまでも数学という学問は終わりがない」という感覚をも引き起こします。数学は古代バビロニアや古代エジプトの時代から非常に高度なものがすでにあって、歴史の節々でもうこれ以上どうやって進歩するの？　というような状況にもなるんですね。実際、地域や時代によっては、ある程度数学が進歩してしまうと、なかなか進歩が進まない停滞期に入るということも多く見受けられるのです。

しかし、それでもなお、数学は新しい進歩の突破口を開いて、そこからまた新しい姿に変容しながら進歩を続けている。これは驚くべきことです。これは人間の脳が多種多様な事物のつながりや関係性を創造し発見することができるという能力に依《よ》っているところが大きいのでしょう。

上野　今や生物学では、DNAがどのようにできたかという問いに対して、実はDNAが単純な元素からできるために当時の気候の状況、つまり雷が落ちやすかったりしたというような電磁気学的な天文の状況が非常に強く影響したという論文もあります。そういうのを見ると、世界は一つなのだという感覚を呼び起こされます。また、さまざまな学問が有機的に統合されているようにも思いますね。これも加藤先生が言われるように人間の脳の創造性、発見性の豊かな実りと考えます。

人間の脳は、どのように抽象概念を手に入れたか

加藤　受講者の方からの質問で、体性感覚や視覚を司る頭頂葉が計算にも関わっているのは、単なる脳の多機能化なのか、それとも何らかの意味ですべて計算処理につながるのか？　というものがありましたので、これについて最後に簡単にお答えいただけますか？

上野　単純に脳の機能と計算処理がアナロジーで捉えられるかということについてははっきりとした答えがありません。そもそも人間がなぜ数を数えることができるのかということについて、前に加藤さんと議論したことがありましたね。数という概念を人間が持ったということは、どこかで高度な抽象化が起きている。最後にそのことを脳の視点から見ていきたい

と思います。
「ミラーニューロン」という言葉をお聞きになったことがある方も多いかと思います。「鏡」という名前の通り、このミラーニューロンは自身がある行為をしている時と、他者が同じ行為をしているのを見ている時の両方で活動するものです。このことは、1990年代にイタリアの神経生物学者リッツォラッティによってサルの脳で発見されました。

さらに、同僚のケーラーらはある動作を見ること（視覚）と、その音を聞くことで、同様に反応する多感覚のミラーニューロンがあるとする実験結果を示しました。

これもサルを使った実験なのですが、サルの脳のF5（図A）という部位（ここは人間でいえば発語に関わる部位、すなわちブローカ野と同様の働きをすると考えられていました）に、電極を刺してその働きをモニタリングします。そして、サルの前で紙を破ったり、棒を落としたりします。

その際に、その状況を見せて、音も聞かせる（V＋S）、音だけを聞かせる（S）と状況を変えてみるのですが、グラフ（図B）に示された通り、同じように反応していることが分かります。視覚と聴覚というのは脳の別の領野で処理されるのですが、結果的に同じミラーニューロンが反応しているということです。

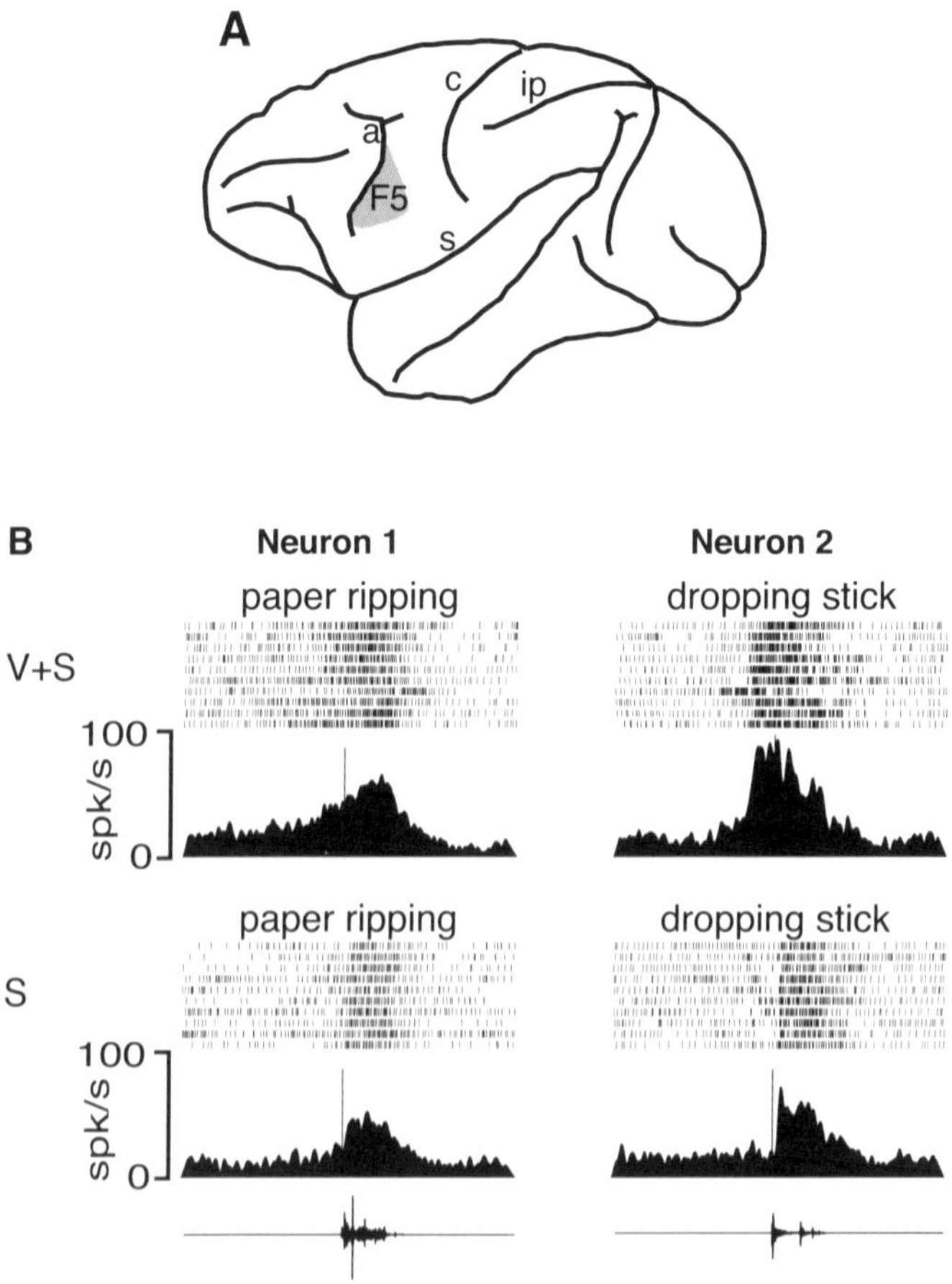

ケーラーによるサルの脳を使ったミラーニューロンの実験

（出典：Kohler et al. 2002. Hearing Sounds, Understanding Actions: Action Representation in Mirror Neurons. *Science* 297, 846）

つまり、このことは視覚や聴覚から得た情報を、脳は何らかの形で統合しているということの証明でもあります。ケーラーたちは、人間の言語というものも、このミラーニューロンから生まれてくるものではないかと言っています。体性感覚野や視覚野が頭頂葉で統合されて、それらがさらに前頭葉で抽象的な概念となっているだろうというわけです。

頭頂葉と前頭葉というのは、この対談の最初で見たように、ガロアの脳において発達していたと思われる二つの部分に相当するわけで、このことは非常に興味深いと思います。

加藤　なるほど。思いがけずガロアの話につながったところで、今回の対談を終えたいと思います。ありがとうございました。

第4章

数学は「役に立つ」のか？

川上量生 × 加藤文元

川上量生

かわかみ・のぶお

1968年愛媛県生まれ。
91年京都大学工学部卒業後、ソフトウェアジャパン入社。
97年8月ドワンゴを設立、2000年会長に就任。
2014年KADOKAWAとの経営統合により、
株式会社KADOKAWA・DWANGO代表取締役会長に就任。
現在はKADOKAWA取締役、ドワンゴ顧問、
学校法人角川ドワンゴ学園理事など。

数学という最高のエンターテインメント

加藤　今回の対談のお相手は、ドワンゴの創業者でＫＡＤＯＫＡＷＡの社長、スタジオジブリのプロデューサー見習いでもある、皆さんもご存じの川上量生さんです（経歴は当時。対談は２０１７年3月に行われた）。テーマは「数学のふしぎな『力』」というものですが、最初になぜこの二人が対談することになったのかということをお話しいたしましょう。

昨年（２０１６年）の10月4日に、ドワンゴなどの主催で開催した「MATH POWER（マス・パワー）2016」というイベントがありました。これは「ニコニコ生放送」上で数学に関する講演などを35時間にわたって放送しつづけるという、なかなか過酷なイベントだったのですが、その準備で川上さんと知り合うことになりました。

その際に、川上さんがかなり真剣に数学を勉強しておられ、しかもそれを社会で実地に活用しているということが分かりまして、詳しくお話を伺ってみたいと思ってお呼びしたわけです。

「MATH POWER」のテーマに「もっと社会に数学を」という言葉がありましたが、まずはそのあたりを手掛かりに、川上さんの数学遍歴やいま数学をどのように活かしておられるのかを伺えればと思います。

川上　僕は、大学では理系だったものの化学の専攻でしたので、本格的な数学に直接触れたことはありません。ですが、学生時代からプログラミングでバイトをしていましたし、卒業後もずっとＩＴを仕事としてきましたから、いわゆる論理的な思考は不得意なほうではないと思います。

読書が好きでジャンルにかかわらず読むのですが、いかんせん数学書だけは歯が立たないものが多い。数学自体には興味があるけど、素数の本とかリーマン予想の本とか一般向けの読み物ですらいくら読んでも分かりません。

ちょうど先日、『数学セミナー』という雑誌で加藤和也先生（１９５２〜、数学者。シカゴ大学教授、東京大学名誉教授。専門は整数論）と対談をしました。紙面ではカットされてしまったのですが、加藤先生が面白いことをおっしゃっていたんです。

加藤　どんなことですか？

川上　日本という国はすばらしい、と。なぜなら、一般人向けの数学の娯楽雑誌があるからだと言うんです。娯楽雑誌というのはもちろん『数学セミナー』のことなんですが、あれが「一般人向けの娯楽」というのが驚きで（笑）。いやいや、この雑誌はかなり特殊な人が読むものでしょう、と言ったのですがカットされていました。

加藤　『数学セミナー』編集部としては、特殊な人が読むものであってほしくないでしょうからね。

川上　要は、数学に関心はあるけれど、どうしても数学についての娯楽書すら読めないというのがくやしくて、1年くらい前から家庭教師の方についてもらって数学を勉強しているんです。それが知られるようになって、こうした対談の依頼が来たり、数学イベントまでやるようになってしまったりという状況です。

それで、勉強を始めてみるとやっぱり数学は面白いですよね。ここまでストイックな世界はあまり他にありません。普通、ある程度難しい本を読んだとしても、この理屈が分からないとか、少なくとも何が分からないのかは分かるものですが、数学書の場合はそもそも何が書いてあるかが分からない（笑）。これを分かろうとする挑戦に勝るエンターテインメントはなかなかないな、と思っています。

加藤　実際、「MATH POWER 2016」はかなりたくさんの方が視聴して、参加してくださいましたね。

川上　予想以上でしたよね。正直、数学なんてイベントのテーマにしても誰も見ないいんじゃないかと心配していた（笑）。でも、意外と幅広い人たちが見てくれて、日本はまだまだ理系大国なのかな、という期待を持ちました。

加藤　そうかもしれません。

数学はビジネスの役に立つのか

川上　経営やマーケティングといったことに携《たずさ》わっていると、必然的に数字を読むことが多くなります。僕自身、そういう仕事上の数字は大好きです。ですから、いわゆる数学的なことをそういう実務の中で、どうにかして活かすことができないかということを常々考えてきました。

最近は、ビジネス書なんかでもある学問分野を取り上げて「○○が役に立つ」という本がよくありますよね。「仕事に役立つ哲学」のような。では、「数学はビジネスの役に立つのか？」という問いに対して、どう答えられるか。

これにはいくつか解答のパターンがあって、一つは端的に「数学を駆使すれば、経営やマーケティングで大きな成果が出る」というもの。この手の本はたくさんあるんですが、読んでみると大した数学が使われているわけではないのが実態です。数学というよりは計算でしかないものが多い。

もう一つの解答パターンは「数学そのものというよりも、数学的思考がフレームワークとして人生や仕事に役立つ」というものです。実は、僕自身はこれが言えるんじゃないかと思って数学を勉強してきたのですが、この1年間数学をやってみた結果、その希望は脆《もろ》くも崩れました。

加藤　そうなんですか？

川上　これは僕の修業が足りないだけかもしれませんが、高度な数学になればなるほど、どうも思考のフレームワークとしても使えそうにない。というか、そう簡単に「役に立つ」とは言えないことが分かってきたわけです。多様体《たようたい》の考え方をビジネスに活かすことができるかといえば、ちょっと厳しいな、と（笑）。

加藤　簡単な数学であれば役に立つこともあるけど、高度で抽象的な数学は現実の世界から乖離《かいり》してしまうということですね。実はそれに関しては、私は現代数学というのは役に立つ可能性を秘めているのではないかと思っているところもあるのですが、それは後にして、まずは川上さんのお話を伺いましょう。

川上　いや、僕も本当は役立てたいと思っていて、どこまで数学を活用できるかということを考えているんです。高校レベルの数学で言うと、微分積分であれば、現実の世界でもかなり汎用《はんよう》的に使えます。

加藤　どのようにでしょうか？

川上　例えば、仕事のモチベーションを微分で管理することができます。やる気を出せと言われても、定量的に増やすのは難しいですよね。でも、自分のやる気を微分して「傾き」を出してみれば、今自分がどういう状況にいるのかが分かります。やる気そのものを変えるのは難しいですが、その傾きがプラスになるようにパラメータすなわち環境を整えるということはできるのではないか、というわけです。

もっと分析するのであれば、2階微分を取ることで、その傾き自体が上がっているのか、下がっているのかも分かります。自分自身のやる気を上げるには、実は部屋がきれいかどう

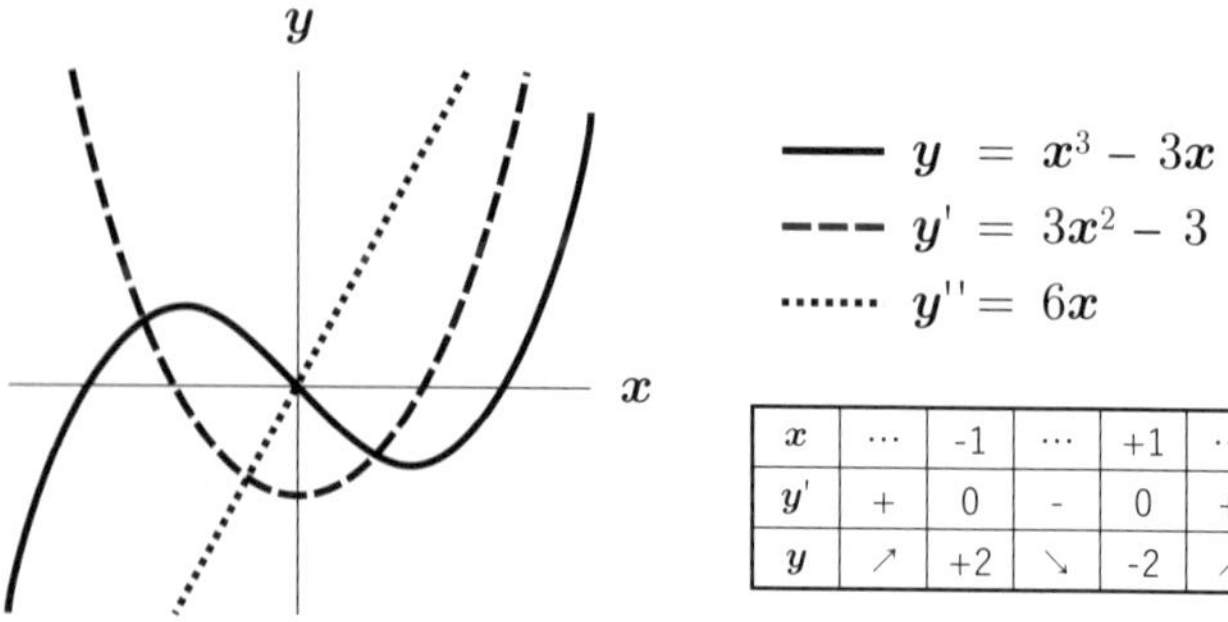

x	…	-1	…	+1	…
y'	+	0	-	0	+
y	↗	+2	↘	-2	↗

微分とグラフ
y' は y の１階微分、y'' は２階微分のこと。一般に、$f(x)$ を微分した導関数 $f'(x)$ は、$f(x)$ の接線の傾きを表す。接線の傾きは、関数の変化の割合を意味する。２階微分 $f''(x)$ は、その接線の傾きの変化を表すことになる。

かが関係していた、などといったことがそこから見えてきたりします。

加藤　念のため補足しておきますと、微分というのはある関数の接線の傾きを示すものです。当然、接線の傾きが正であればグラフは上昇しますし、負であれば下降する。では、微分を2回すること、すなわち2階微分の意味はどういうことか。これは、さらにその接線の傾きが正に向かっているのか負に向かっているのかを示すものです。ですから、今は下降しているけれども、その傾きは徐々に和らいで、いずれ上昇に向かっていくだろうとか、その逆に上昇の度合いが落ちているといったことが分かるということですね？

川上　はい。そういうことです。例えば、ある社員の調子が1階微分ではマイナスだけれど、2階微分すればプラスだとします。つまり、いずれ調子が上がってきそうだということです。そうした時に、短期のプロジェクトではその人をチームに入れたくないけれど、長期のプロジェクトであれば入れてもいいなということが判断できます。

加藤　たしかに、そういう違いは学生を見ていてもあるような気がします。短期的には能力が伸びているけれども続かないとか、あるいはその逆というような。そういう意味では、数学が役に立っているわけですね？

川上　そうです。ただ、数学が役に立つという場合、多くの人は定量的に物事を捉えるために数学を使おうとすることが多いんです。何か意思決定をする際に、複数の施策があってどれを選ぶべきかといったような時に、数学を使うのは何のためかといえば、それぞれの施策の効果を数値化したい。

でも、まともに考えた企画であれば、どれもある程度効果があるだろうし、やったほうがいいか悪いかといえば、やったほうがいいもののほうが多いわけです。

加藤　だから、その効果を数値化して比較したいということですよね。

川上　そうです。とはいえ、多くの人が仕事上経験している通り、結局やってみなければ分からないというのが大半です。ＩＴ企業を中心に最近はＫＰＩ（Key Performance Indicators）といったことが言われて、何らかの数量的モデルを使って効果を判断しようとしていますけど、そもそも元となるデータの精度が粗いことがほとんどです。せいぜいクリック数とかコンバージョンとか、そんな程度でしかない。

結局、そうしたデータと数式から導き出された結果を、人間が勘や経験に基づいて判断していることが結構多いんですね。そういう時に、その施策は1階微分的にはプラスだけど2階微分的にはマイナスだから採用しないという考え方ができれば、より的確な判断につながるのではないかと思うんです。

加藤　つまり、数値に基づく定量的な判断よりも、例えば微分の階数という定性的な判断のほうがよいのではないか、ということですね。いわば、ある種の勘や「どんぶり勘定」的なものを定式化できる。

川上　はい、そういうことです。

プログラムや法律の複雑度を「幾何学的」思考で測る

川上　ただ、それ以上のところで数学を利用しようとしてもなかなか難しいなと思っていて、他に何かないかと探しているのですが、最近は幾何学的な思考は現実への応用ができるのではないかと思っています。

加藤　図形的に、ということですか？

川上　そうですね。図像と情報量の関係というのを、スタジオジブリに入ってから考えるようになったんですよ。ジブリ作品は毎年のようにテレビで再放送されているんですが、視聴率が全然下がらないどころか、むしろ上がったりする。みんなストーリーは知っているのに、なぜそういうことが起きるかというと、画面の情報量が多いから何回見ても飽きないし、見るたびに新しい発見があるからだと思うんです。

アニメというのは極論すれば図形ですよね。つまりアニメコンテンツの設計にとって、その図形の情報量が重要になってくるわけです。

加藤　アニメーションの現場では、意図的に画面の情報量を上げるという作業が行われているんですか？

川上　はい。制作の現場でも「画面の情報量を上げよう」とか「情報が多すぎるから減らそう」といった会話を普通にしています。アニメ制作の場でこういった定量的な思考がされているって、僕はかなり意外だったんです。

それで、そもそも人間がそうした情報をどのように認識しているのか、ということを考えるようにもなりました。

映画というのは、カットをつなげることで時間を含めた4次元を表現していますが、画面ということだけを考えれば、現実の3次元空間を2次元に射影したものである。では、いわゆる昔ながらのアニメと最近の3DCGによるアニメでは何が違うのか……。

正直、現時点で結論は出ていないんですけど、そういう図形と情報量の関係から何か見えてくるものがあるんじゃないかということで、いろいろ考えています。図形的に見た場合の複雑さというのを人間は情報量として認識しているはずなので。

加藤　これは多少数学の専門的な話になりますが、図形を扱う学問である幾何学の世界では、不変量というのがあります。不変量というのは大雑把に言えば、ある種の「形」を変えても変わらない性質のことです。

例えば、2次元平面における三角形が「合同」であるかどうかは「3辺の長さ」などを不変量として抽出すれば判別することができます。三角形が「相似」であるかどうかは「2つの角」などを不変量として抽出して判別することができます。

一番簡単な不変量というのは「次元」ですが、次元を上げるとそれだけ情報量は多くな

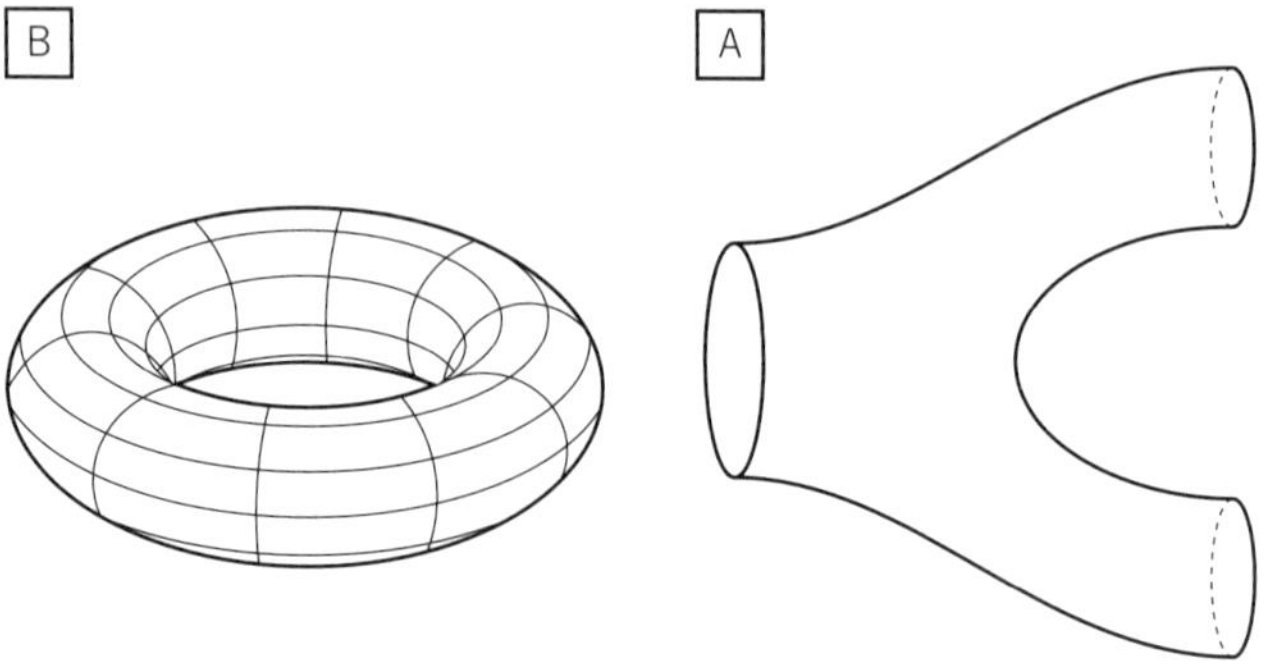

リーマン面

ります し、複雑さは上がります。でも、図形的に考えることの本質はそれだけではありません。例えば、ゲームだったら場面が分岐しますよね。つまり各々の場面で「はい」を選ぶか「いいえ」を選ぶかでグラフ的に枝分かれするわけです。これは、リーマン面という数学の図形概念を使ってよく描く図（図A）のように、パンツを横にしたような図形になっていて、左から右へコンテンツ面が時間で進んでいって分岐するという感じのことですね。

川上　『ドラゴンクエスト』とかで、王様が主人公の勇者に向かって「冒険に出て姫を助けてくれるか？」と問う場面がよくあるじゃないですか。とりあえず「いいえ」って答えても許してくれなくて、「はい」と言うまで何度でも訊かれる。そういう無限ループはどんな図形になるのでしょうか。

加藤　その場合は、穴が1個ある（図B）ということで、数学の言葉で言うと種数が1個上がってる、あるいはオイラー数が2下がってるわけなんですけれども、そういうことを情報の定量化と考えるということです。

川上　そんなことを考えていたら、実は僕がずっとやってきたソフトウェア工学の中にはこれと似た考え方がすでにあったということに気づいたんです。プログラムの処理はフローチャートで表現されます。このフローチャートというのは、要は向きがついたグラフということですが、これを図形として考えることができないか。

つまり、フローチャートの図形としての見た目の複雑さと、プログラム自体の複雑さは当然リンクしているわけで、それを幾何学的に判断することができるのではないかと思ったのです。

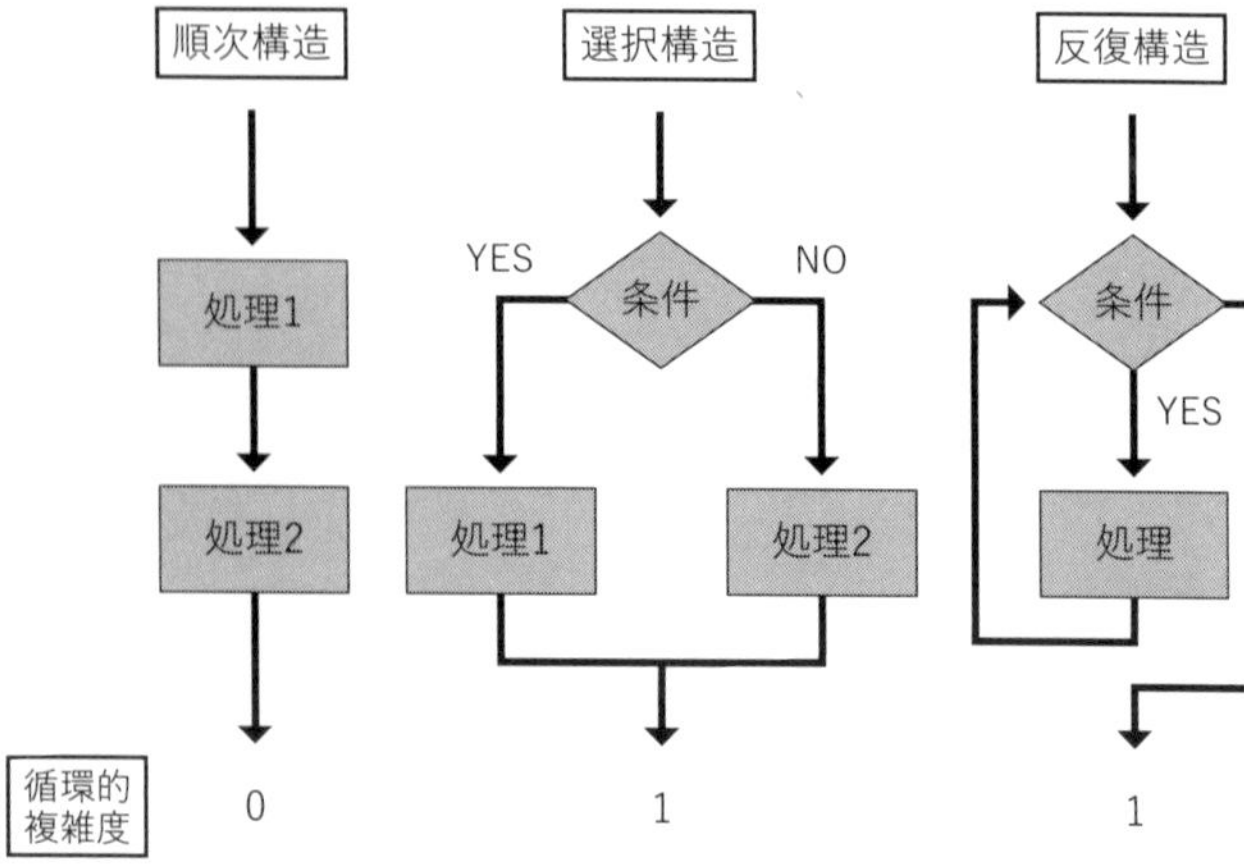

フローチャートの例

それに関連して、プログラミングの世界で普通に使っている指標に「循環的複雑度」というものがあります。これは、プログラムのソースコードの複雑さを測るものなのですが、IF文やループなどの分岐や外部サブルーチンの参照をするたびに数値が「1」増えるということで算出します。図形的に見れば、フローチャートのグラフの穴の数ということになります。

この循環的複雑度をどう使うかというと、例えばあるプログラムの循環的複雑度が10以下だとすると、そのプログラムのバグ混入確率は25%ということで、非常に良い、つまりメンテナンスのしやす

・循環的複雑度とは、プログラムのソースコードの複雑さを定量的に測る指標。
・IF文、ループなどの分岐や外部サブルーチンの参照をするたびに複雑度は1増える。
・フローチャートのグラフの穴の数と考えてよい。

循環的複雑度	複雑さの状態	バグ混入確率
10以下	非常に良い構造	25%
30以下	構造的なリスクあり	40%
50以下	テスト不可能	75%
75以上	いかなる変更も誤修正を生む	98%

循環的複雑度

い構造だと言えるわけです。
　そして循環的複雑度が75以上だと、バグ混入確率は98％。これは、いかなる変更をしても新たなバグを生み出してしまうことを意味しますから、もう手の付けようがないプログラムだということになります。

加藤　でも、プログラムが長くなれば、循環的複雑度はどんどん上がっていってしまうのではないでしょうか？

川上　これはプログラム全体ではなく、ある関数単位での測定ですね。つまり、デバッグをする際の依存関係がどれだけあるか、と言い換えることもできます。ところで、半分冗談なのですが、この考え方は法律にも適用できるんじゃないかと思って、やってみたことがあるんです。法律というのは、コードに近い性質を持っているんですね。

例えば、商法第十六条は次のような条文です。

第十六条　営業を譲渡した商人（以下この章において「譲渡人」という。）は、当事者の別段の意思表示がない限り、同一の市町村（特別区を含むものとし、地方自治法（昭和二十二年法律第六十七号）第二百五十二条の十九第一項の指定都市にあっては、区又は総合区。以下同じ。）の区域内及びこれに隣接する市町村の区域内においては、その営業を譲渡した日から二十年間は、同一の営業を行ってはならない。

2　譲渡人が同一の営業を行わない旨の特約をした場合には、その特約は、その営業を譲渡した日から三十年の期間内に限り、その効力を有する。

3　前二項の規定にかかわらず、譲渡人は、不正の競争の目的をもって同一の営業を行ってはならない。

これをJavaScriptに書き直して、先ほどの循環的複雑度を測ってみると11となる。ですか

ら、この条文は割と読みやすいと言える。

加藤　まあ、たしかに素人が読んでも言わんとしていることは分かりますね。地方自治法を一つ参照しているだけです。

川上　一方、著作権法第四十七条の十の条文（注：平成二十八年改正前の条文）は次のようなものです。

第四十七条の十　第三十一条第一項（第一号に係る部分に限る。以下この条において同じ。）若しくは第三項後段、第三十二条、第三十三条第一項（同条第四項において準用する場合を含む。）、第三十三条の二第一項若しくは第四項、第三十四条第一項、第三十五条第一項、第三十六条第一項、第三十七条、第三十七条の二（第二号を除く。以下この条において同じ。）、第三十九条第一項、第四十条第一項若しくは第二項、第四十一条から第四十二条の二まで、第四十二条の三第二項又は第四十六条から第四十七条の二までの規定により複製することができる著作物は、これらの規定の適用を受けて

作成された複製物（第三十一条第一項若しくは第三項後段、第三十五条第一項、第三十六条第一項又は第四十二条の規定に係る場合にあつては、映画の著作物の複製物（映画の著作物において複製されている著作物にあつては、当該映画の著作物の複製物を含む。以下この条において同じ。）を除く。）の譲渡により公衆に提供することができる。ただし、第三十一条第一項若しくは第三項後段、第三十三条の二第一項若しくは第四項、第三十五条第一項、第三十七条第三項、第三十七条の二、第四十一条から第四十二条の二まで、第四十二条の三第二項又は第四十七条の二の規定の適用を受けて作成された著作物の複製物（第三十一条第一項若しくは第三項後段、第三十五条第一項又は第四十二条の規定に係る場合にあつては、映画の著作物の複製物を除く。）を、第三十一条第一項若しくは第三項後段、第三十三条の二第一項若しくは第四項、第三十五条第一項、第三十七条第三項、第三十七条の二、第四十一条から第四十二条の二まで、第四十二条の三第二項又は第四十七条の二に定める目的以外の目的のために公衆に譲渡する場合は、この限りでない。

加藤　読めないですね、これ（笑）。

川上　そう、人間が読むものじゃないでしょう。この条文の循環的複雑度は118。いかなる変更も新たなバグを生み出してしまう。これをJavaScriptで書いてみると、そのソースコードは書いてはいけないプログラムの典型みたいになります。

加藤　でも、現実にこれくらいの複雑度を持った法律の条文は結構あるんじゃないですか。

川上　そうなんです。今、日本では本当の意味での議員立法なんてものはほとんどなくなっています。というのも、今までの法律と矛盾がないかを確かめるには、内閣法制局にチェックしてもらわないといけない。そういう一部のプロ以外は法律を作ることなんてできない状態になっているんです。でも、複雑度118の条文があちこちにあることを考えると、おそらくそれでもバグが生まれているのではないか……。

こういう状態が問題だというのは前から言われていて、この試みはまず現状を把握するための定量的な指標になればということでやってみたのです。

加藤　これは法制度の複雑度を定量化するという意味では画期的だと思うんですけれど、では、これを修正するために数学にできることってあるんでしょうか？

川上 プログラミングの世界では最適化という手法があって、あるソースコードを変形してよりシンプルにするということは行われていますね。実際、法律の条文の整合性を担保するために情報科学の手法を取り入れる考え方は「法令工学」と呼ばれて、研究が進められているようです。

加藤 そういう意味では、法律の作成にも数学の手法が応用されているということになりますね。

現代数学は「非可逆圧縮」された情報だと考えられる？

川上 ただ、現実に応用できる数学ってこのくらいが限度かなという思いもあります。現代数学はどんどん抽象的になっていて、現実の社会で使おうと思っても上手くいかないような気がします。

加藤　現代数学は現実の役には立たない？

川上　はい。それは数学の宿命かなと思っているんですよ。

加藤　どういうことでしょうか。

川上　「数学とは何か」っていうことを考えると、最終的には「人間とは何か」ということに行き着くと思っていて。人間とは何かというのは大きな問いですが、結局はその時点での最新の科学知識で捉えるというのが一般的です。

一昔前なら、人間をさまざまな部品の組み合わせで捉える人間機械論でした。今の時代はやはりいわゆる機械学習、ディープラーニングで捉えることになるわけです。その視点から考えると、人間が行っているのは、現実の情報量を脳で処理して、より少ない情報量に減らすということなのではないか。つまり、人間とは基本的には情報の圧縮アルゴリズムだと考えられるのではないかと思うんです。

例えば古い例になりますが、「風が吹けば桶屋《おけ》が儲かる」「悪いことをしたらバチが当たる」なんていうのが典型ですけど、直接の因果関係は複雑すぎて処理しきれないけれど、それを圧縮することで理解できるようにするわけです。

加藤　圧縮には、元の情報量を再現できる可逆圧縮と、余分なものをそぎ落として情報量そのものを削減する非可逆圧縮がありますよね。

川上　人間の場合は非可逆圧縮ですね。人間はまず現実の膨大な情報量を「概念」という形に圧縮して、それを論理的に処理するという2段階の思考手続きを踏んでいるのではないかと思うんです。数学というのもそういう思考手続きのもとで発展してきているのではないでしょうか。

加藤　数学も「圧縮」されたものであるということですか？

川上　あらゆる学問がそうかもしれませんが、数学は特に「本質」を突き詰めようとするものですよね。僕は最近「本質とは何か」ということも考えているのですが、それを情報の圧縮アルゴリズムと捉えた場合にどうなるか。

まず、本質というのは、より広い対象の情報に適用が可能です。これはつまり普遍的であるということです。そして、対象の情報の本質を捉えることによってより少ない情報量に圧縮が可能でもあります。これはつまり、より抽象的であるということです。

ですから、より本質的であるということは、非常に高い圧縮率が掛かった情報ということで、それが非可逆圧縮である以上、現実を再現する力は低くなってしまうのではないかというのが、今の僕の考えです。

加藤　たしかに現代数学はより普遍的、抽象的になっています。だから、現実の再現性も低くなっているというのが、川上さんのお考えだということですね。

川上　だってゼータ関数なんてかっこいいけれど、現実に応用するのは無理じゃないですか。

加藤　たしかに難しいでしょうね。ゼータ関数の研究で有名な黒川信重《のぶしげ》先生（東京工業大学名誉教授）は、ゼータ関数の解析接続によって自然数の和がマイナス12分の1に収束することを例に出して、「負債を抱えたら、それを2倍、3倍とどんどん増やしていきなさい。それを無限に続ければ負債はマイナス12分の1倍になるから」とおっしゃっていましたが（笑）。

$$\zeta(-1) = \text{"}1 + 2 + 3 + \cdots\text{"} = -\frac{1}{12}$$

ゼータ関数による自然数の和の計算

川上　そんなわけないですよね（笑）。世の中の多くの人は、本質が分かれば、いろいろな現実に応用可能だと思っているじゃないですか。けれども、実はそうではなくて、本質は突きつめれば突きつめるほど、現実の役には立たないということを逆に突きつけられると思うんです。

加藤　なるほど。ある時点までの情報の圧縮はそれによって論理的に考えることに役立つけど、本当に圧縮してしまうと元に戻すことができなくなってしまう。役に立つ数学というのは、少しだけ圧縮されたものだということでしょうか。

川上　なんだか現代数学をディスっているみたいですけど（笑）、そうではなくて僕は数学が大好きだし、本当にすごい教養だと思うんです。だから、みんなの数学の教養レベルが少しでも上がって、より多くの数学を現実社会へ応用することができればいいなと思って、いろいろと考えているところなんです。

現代数学の可能性を探る
――古典数学と現代数学の違い

加藤　さて、前半は川上さんがご自身のビジネスを含めた現実社会で数学をどのように活かしているか、ということをお話しいただきました。川上さんのお考えでは、数学というのは役に立つ部分もあるけれども、抽象度が高まるとそうでもなくなってくる。特に現代数学にはその傾向があるということでした。

実はこの話題は、川上さんとお食事をする時などにもしばしば話題になるのですが、それに対して、私は数学者の立場としてぜひとも反論したい（笑）。要は、現代数学と呼ばれるものは非常に柔軟性が高く、将来的には社会的に応用される可能性を持っているのではないか、ということを主張したいわけです。

現代数学という言葉は曖昧な概念ですが、主に20世紀以降の数学を指します。それに対して、古典数学というのはそれ以前のものということになりますが、微積分を含めた高校までと大学初等レベルの数学というイメージでよろしいかと思います。

では、古典数学と現代数学の違いとは何かという時に、私は次の三つがあると考えています。

①計算中心数学 vs. 概念的数学
②定量的数学 vs. 定性的数学
③局所的 vs. 大域的

一つめは、複雑な方程式を解くといった計算に主眼が置かれるのではなく、「群」や「環」などといった概念が重視されます。

二つめは、定量的な正確さばかりが求められるのが数学ではなく、定性的な、いわゆる性質について語られるようになってきたということです。これは先ほど川上さんのお話の中で出てきた「どんぶり勘定」で判断できるというところに関係してきます。数学というのは物事を定量的に精密に見せることばかりが仕事ではありません。物事を定性的に、判明に、そして柔軟に見せるという力も持っています。

そして最後の局所的から大域的というのは、少し説明が必要でしょう。局所的というのは、物事をある一点の近くだけ集中的に見ることで、大域的とは物事の全体像を同時に理解しようとすることです。

こうした現代数学の性質は、物事を概念的・定性的・大域的に処理できる人間の脳における思考のパターンをある意味、素直に表現したものになっているのではないでしょうか。

川上　局所的と大域的というのは耳慣れない言葉ですね。

加藤　それについては、もう少し詳しくお話ししたいと思います。例えば、絵画や彫刻などの美術作品を見る時に、絵具のタッチや彫刻面の質感がすべすべしている、あるいはざらざらしているなどというように細かな点を集中的に見るという方法があります。一方で、少し遠ざかって全体像を眺めるというように、形態そのものを直感的に捉えるという見方もありますよね。数学もそれと同じで、ミクロに見るのが局所的、マクロに見るのが大域的ということです。

もちろん、作品の見方としてはどちらも必要ですが、やはり重要になってくるのは全体としてその作品を理解するということでしょうし、より物事の理解を早めることにつながるのではないかと思います。そして、数学においても同じような動機があったのだと考えているのです。

この大域化ということをより具体的に言うと、「空間化」ということなんです。先ほど川上さんがおっしゃっていた、物事を図形化して考えたり、フローチャートの循環的複雑度を求めたりするというのはまさに大域化をしていることなんだと感じました。そういう意味では、私が普段から数学に対して考えていることと非常に似ていると言うことができます。

川上　数学における空間というのは特殊ですよね。一般人の価値観だと、空間のイメージというのは3次元かせいぜい相対性理論を加味した4次元まででしょう。数学では、それを超えてとんでもない次元数まで考える。

加藤　そうですね。一つひとつの物事について考えるのではなく、それらを「空間」というフレームに当てはめて考えることで、「もの」と「もの」との関係性について大域的に把握していくということです。そして現代の数学は単に次元が上がるだけでなく、固定された空間の中で考えることを超えて、空間そのものを対象として考えるようになってきます。

それはすなわち抽象化するということなんですけれど、やはり我々が大域的な「構造」を理解するには「見る」ことが必要になってきます。そして、見るためには「空間化」が必要になってきます。

例えば、グラフ——ここでグラフと言っているのは頂点があって、辺で結んで描くようなもののことです（次ページ図）——こういうグラフも数学的には空間の一つだと考えます。この場合だったら、頂点が示している一個一個の「もの」よりは、「もの」と「もの」との関係性を空間化したものだというように考えるわけです。

では、「空間」というフレームを当てはめて物事を考えると何がいいのか。

一つは、幾何的な複雑度を不変量という形で抽出できるということです。これは数学が非

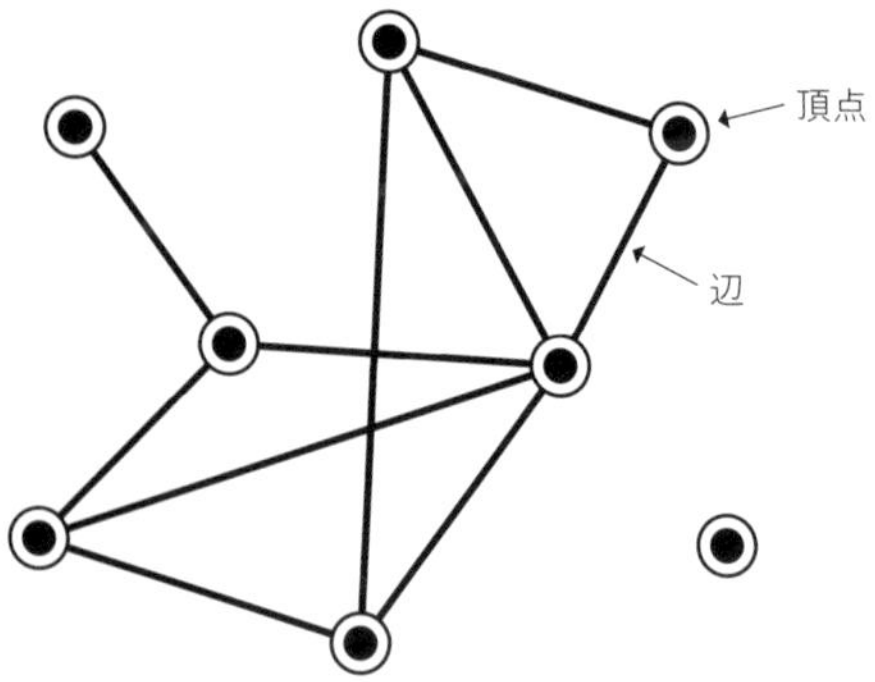

グラフの例

常に得意とすることです。そして、これによって物事の判断材料を提供することができます。

もう一つは、空間化によって「形」になると、その全体が見渡せるので、それを見る人間の悟性――すなわち思考のリソース――の負担を減らすことができるということです。複雑さというものには、例えば時間によって変化するということがあるのですが、そうした時間から切り離して、スチル写真のようにしてしまう作用があるので、情報量を効果的に減らすことができるわけです。

川上さんがおっしゃっていたプログラムのフローチャートというのは、まさにそのプログラムが実行されている時間的な要素を、スチル写真として空間化しているということなのではないでしょうか。

数学においては、こうした空間化というフレームの実例は、（難しい数学用語がバンバン出てきますが）多様体や集合、スキーム、トポス、圏《けん》などといった分野において表れていると思います。

川上　機械学習の言葉でいえば「特徴量」を見つけるということになるんでしょうかね。現実の莫大な情報の中から特徴となるポイントだけを抜き出すことで、全体として処理すべき情報量を減らして理解しやすくする。

ただ、ディープラーニングが進めば進むほど、その特徴量と現実の関係は、人間には理解できなくなってきてしまう。囲碁でＡＩはこの手が最善と言っているけど、人間にはなぜ良いのか分からないといったようなことが、あらゆる局面で出てきてしまう。だから、そこのところが難しいですよね。それと同じで、数学においても情報量が少なくなるのは良いことですが、その過程で人間が理解できなくなる可能性もあるのではないでしょうか。

加藤　たしかにそういう側面はありますね。ただ、微積分だってそれが確立された17世紀頃においては、数学を専門としない一般の人たちにとってはほとんど意味を持たないものだったのではないでしょうか。それが教育の成果もあって、今日では非専門家の人でも概念として使うようになっています。

川上 多様体とか圏とかもそうなってほしいですよね（笑）。

加藤 私はそれくらいの柔軟性というかポテンシャルを備えていると考えているんですけど、残りの時間ではそれを頑張って説明したいと思います。

川上 よろしくお願いします。

「空間化」することの意味

加藤 まずは多様体について考えてみます。あまり数学的に深入りすることはせず、ざっくりと捉えていただければと思います。

例えば、「レムニスケート周長積分」というものがあります。次のような式で表されるのですが、この式が何を意味するかはここでは重要ではありません。とりあえず非常に計算が難しい積分の例として挙げています。

これを古典的な積分の手法、すなわち局所的な計算だけで理解しようとすると、その性質をちゃんと捉えることができません。ですが、これをある種の異なる空間の中での積分だというふうに捉えることで、非常に見通しが良くなるのです。

一つの積分に着目するのではなく、この積分の特性を引き出そうとするというふうに言うことができるでしょうか。そのために、この積分が〝住んでいる〟空間というものを作ります。数学的には、それが１７４ページ図Ｂのようなドーナツ面をした楕円曲線であるということが分かるのですが、このことを定式化したのがリーマン（１８２６〜６６、数論や幾何学、解析学などさまざまな分野で偉大な業績を残した）でした。これが「多様体」という空間概念の先駆けです。

多様体とはこうした空間のことなのですが、私たちが通常生活して見

$$\int_0^{r1}\frac{1}{\sqrt{1-r^4}}dr$$

レムニスケート周長積分

たり触れたりしている空間よりももう少し抽象的なもので、いわば概念の集合体なのです。

川上 つまり、その考え方を使えば、この見るからに変な式の計算ができるということですか？

加藤 計算できるというふうに言い切ると多少語弊《ごへい》があるのですが、むしろ計算できるということよりも多くのことが分かると言えます。

もちろん、テイラー展開をするなどいわゆる古典的な計算をしていけば、それなりの解は得られるでしょう。ただ、それではこの積分の性質や良さというものが分からないわけです。それをこういう空間（面）に起源を発しているものだと捉えることで、レムニスケート周長積分が他の積分とどのように違うのかということがはっきりしてきます。

そして、さらに現代に近づいて、グロタンディーク（１９２８〜２０１４、ドイツ生まれフランス人の数学者。代数幾何学の分野を中心に多大な業績を残した。１９６６年にフィールズ賞を受賞）が提唱したスキームという考え方があります。

川上 グロタンディークといえば、「素数大富豪」で大活躍しますね。

加藤　素数大富豪というのは、トランプのゲーム「大富豪」の素数バージョンですね。ご存じない方は詳しいルールは検索してみていただきたいのですが、簡単に言えば、場に出されたカードと同じ枚数で、より大きい素数を出していくゲームです。例えば、「3」のカードが出ていたら「5」以上の素数が出せる。複数枚を出す時は「1」「3」と出したら「13」という意味になるというものです。

川上　そのゲームの中で57というのが「グロタンディーク素数」と呼ばれて、それを出すと場が流れて親になる。大富豪でいうところの「8流し」と同じような、いわゆる「グロタンカット」が使える、最強の「素数」です。

加藤　補足しますと、57というのは3×19ですから合成数で素数ではありません。これには逸話があって、グロタンディークが数学の議論をしていた時に、話が抽象的過ぎるから具体例を出してくれと頼まれて、「素数を例にしよう。例えば57……」と間違えて言ったということに由来します。

川上　グロタンディークほどの天才がそう言ったなら、57は素数であるという……（笑）。もう受け入れるしかない。

加藤　それくらいの天才数学者だったのですが、彼はスキームという概念を導入することで、方程式を空間化したのです。

古典的な数学では、方程式を x や y について解くというように一つひとつの「解」を求めるという形で処理してきました。グロタンディークのスキーム論の考え方では、方程式を空間化して、その方程式の深層にある性質そのものを炙《あぶ》り出すことができるのです。

川上　方程式の空間化というのはどういうことでしょうか？

加藤　図はスキームの姿を表したものです。ここにSpec $\mathbb{Z}[x]$ というものがあります。$\mathbb{Z}[x]$ というのは整数を係数とする多項式の全体という意味で、Spec $\mathbb{Z}[x]$ というのは、そのスペクトラムという空間です。

すなわち、整数係数の多項式にまつわる代数学全体を空間化したものだと考えると、少し

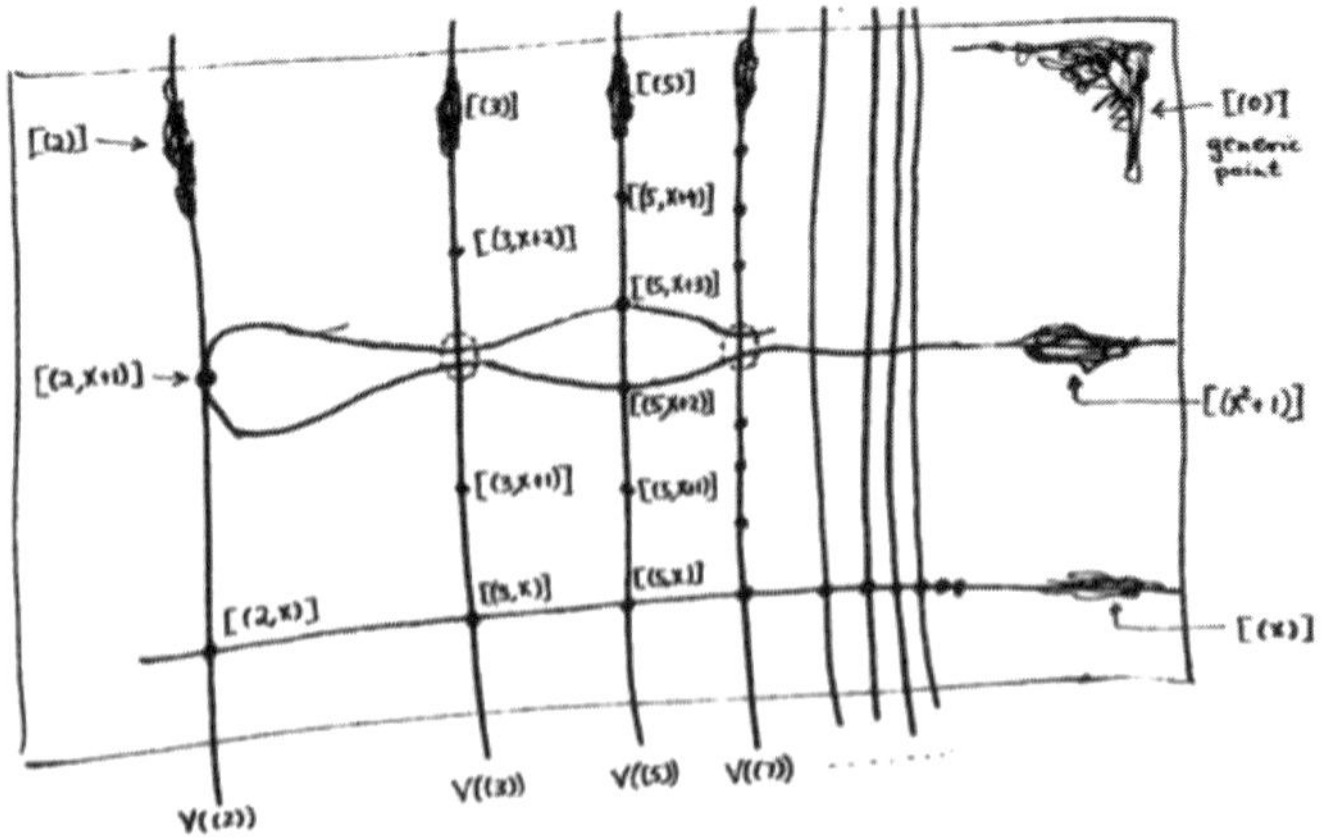

スキームの姿：Spec $\mathbb{Z}[x]$

（出典：D. Mumford "The red book of varieties and schemes", Second expanded edition, Lecture Notes in Mathematics 1358, Springer Verlag, 1999, p. 75）

分かりやすいでしょうか。

下のほうに横線があります。これは、$x=0$ という方程式の解空間になっています。$x=0$ ですから全部原点を通ってます。「$1+1$」が0になるような標数2の世界でも原点、「$1+1$」、3回足して0になるような標数3の世界でも原点を通ってるというグラフが描かれている。そのグラフが住んでるような空間が、このSpec $\mathbb{Z}[x]$ というわけです。

ほかに「$x^2+1=0$」という、また別の方程式を考えています。これは実数解を持たない2次方程式なんですが、一応この空間の中では、そのグラフを描くことができている。描き方はすごく難しいんですけど、標数が2の世界、3の世界、5の世界、7の世界で、それぞれがどういうふうに通っているのかということを示しています。つまり、この空間1個あれば、基本的に整係数の1変数の方程式がこの場でどういうふうに振る舞うかということが分かるという意味で、新しい空間の概念を与えているというわけなんです。

川上 難しいですね。このスキームっていうのは、何かかっこいい感じがするから何冊も本を読んだんですけど、全然分からないんですよ。

加藤　たしかにかなり難しい概念で、厳密に数学的に理解するのは大変なのですが、ある程度図式的に考えていただくことで構わないと思います。

数学における空間の考え方の変遷《へんせん》

加藤　さて、これまでのお話をまとめましょう。数学における空間の考え方の変遷を見ていくと、だいたい次のように言うことができます。

- 多様体的（19世紀〜）：　空間＝点（集合）＋構造（秩序）
- スキーム論的（20世紀〜）：　構造（数式の体系＝環）→空間
- トポス・圏論的（20世紀後半〜）：　空間＝構造

すなわち、19世紀以降の数学は空間概念を拡張していく中で定式化されてきたということです。

それ以前の人たちにとって「空間」とは「入れ物」のようなものでした。この世界における空間のあり方は大前提として決まっていて、考えるまでもないということです。それを表現したのが、私たちが中学までに習う「ユークリッド幾何学」、すなわち座標軸で表されるような空間のあり方でした。その座標上で表される点の集まりが、空間です。

一方、19世紀の多様体的な考え方が行ったのは、空間というのは点の集まりに対して、そこに構造が乗っていると捉えることです。つまり、「空間」というものは単なる「入れ物」なのではなく、例えば「曲がり具合」などのような何らかの「構造」を持つと考えるのです。まず個々の点が存在する「場所」があって、その点がどのようにつながり合っているかということを語るのが「構造」だというわけです。例えば、平面というのは平《たい》らかな「構造」を持っているのであり、球面というのは球体であるところの「構造」を持っている。このように空間が二元論で構成されていました（ちなみに、この考え方をセントラルドグマとして数学全体を整理し直そうとしたのが、第2章で触れた数学者集団ブルバキでした）。

ところが20世紀くらいになると、空間にとって点の存在はさほど重要ではなくなります。スキーム論的な考え方では、構造そのものを考えます。先ほど見たように構造が数式として決定される。すなわち空間は「方程式そのもの」として現れるわけです。そこにはおそらく量子力学などが非常に大きな影響を与えただろうと思われます。

そして20世紀後半、圏論とかトポスと呼ばれる幾何学の世界では、もう空間イコール構造であると考えるようになります。そこではもはや点の存在は必要不可欠ですらありません。圏（カテゴリー）という考え方においては、「もの」と「もの」との関係性を非常にたくさん集めてきて、構造として作り上げ、それが空間だとする。まさに「巨大なグラフ」の構造です。

圏とは「対象」と呼ばれるものの集まりと、対象から対象への関係を抽象化した「射《しゃ》（矢印）」と呼ばれるものの集まりからなる数学的な系です。圏論（圏を扱う数学の理論）が考えられる前は、数学ではもっぱら「集合」を基本単位として扱ってきました。集合というのは、単にものの集まりでしかありませんが、圏はものだけでなく、ものとものとの間の関係をもデータとして含んだ概念です。その意味で、それは「巨大なグラフ」と思えるというわけです。それはそれら関係の総体からなる構造を表す、非常に有用な考え方なのです。

トポスというのは一種の特別な圏で、さらに「空間的な」構造が入った圏だと思ってください。トポスにおいては、空間を点の集まりとして考えるのではなく、空間上の層を集めた体系を考えます。トポスは「構造＝空間」という方程式の解を与えていると言えるのです。

こうした圏やトポスは、従来の空間概念に比べて、飛躍的に柔軟性の高い空間的・直観的な思考のためのフレームを提供します。ですから、数学における広範囲の分野にまたがるさまざまな概念を統一的に扱えるようになるということです。

空間が構造そのものになるということは、脳で処理しているさまざまな論理的パターンやアルゴリズムそのものが空間化されるようになったとも解釈できるわけです。現代では、こうしたトポスや圏論的な数学というのは、認知科学への応用が進んできています。

川上 それはつまり、人間の脳の情報処理システムの中に圏論的な構造が入っているということですか？

加藤 単純に人間の情報処理システムに圏論的な構造が含まれていると言うことはできませんが、逆に人間の脳の構造を反映するような圏とかトポスのモデルを作ることは可能なのではないかと思います。圏やトポスはそれだけの柔軟性を持っている。ですから、トポスを含めた圏論的数学のアプローチは、人間の思考のフレームワークとして今後の社会で役立たせることは可能なのではないかと考えられます。

一つだけ具体例を挙げたいと思います。

圏論の中に「随伴《ずいはん》（アジャンクション）」と呼ばれる概念があります。圏と圏とをつなぐ関係、つまり「↓」で表現されるものを「関手《かんしゅ》」というのですが、ほとんどの場合、これは非可逆なんですね。ただし、そうした非可逆の関係にも、何らかの意味で逆の操作を考えることができます。これを「随伴」と呼んでいます。要するに、先ほど川上さんがお話しされていた例で言うと、可逆的な圧縮に近いものです。

例えば、方言というものがありますね。それ自体が恣意《しい》的だという指摘もあるかと思いますが、日本語においてはいわゆる標準語があって、他方に関西弁などそれぞれの方言という体系があるわけです。これを標準語と関西弁のあいだに「埋め込み関手」があると捉えるわけです。

フェイスブックの言語設定には「日本語（関西弁）」というのがあって、それにするとインターフェースの表記が関西弁になって面白いのですが、標準語と関西弁の対応というのは厳密には一対一ではないわけですね。互いにはみ出す部分があるけれど、こうした変換では普遍的でベストポッシブルな近似を提示する。だから、標準語を関西弁に変換して、また標準語に戻す際には、必ずしも元通りになるとは限らない。これが随伴の考え方です。とすると、これは可逆と言いながら、むしろ互いが互いを包摂するような関係性なのです。

川上 それは今、機械翻訳の世界で起こっていることですね。

加藤 そうですね。ですから、人間が普通に行ってきた翻訳という作業に、この随伴という概念は近づいている。現代数学というのは、そのように実は人間の思考のフレームワークとの親和性が高いのではないかと思います。

川上 いま僕も、周りのエンジニアも圏論を身につけたいと思っている人は多いんですよ。でも、99%は挫折する。それくらい難しいんです。

加藤 非常に抽象的ですからね。ただ、だからこそ柔軟性が高くて、すっきりしているという意味では分かりやすいとも言えると思うのですが……。

川上 それで25年も経てば、圏論の言葉で思考ができるようになると（笑）。そういえば、加藤先生とは同じ歳なんですよね。しかも同じ京大でしたから、すれ違っているかもしれない。

加藤　私は理学部だから今出川《いまでがわ》で、川上さんは工学部だから吉田本町の時計台のあるほうですよね。

川上　でも、僕は今出川に住んでいたのでそちらも通学の途中に通っていました。だから、どこかで会っていてもおかしくない。

加藤　今日この日があるのも、その時の運命だったのかもしれませんね。話はつきませんが、このあたりで終わりにしたいと思います。ありがとうございました。

人《ひと》と数学《すうがく》のあいだ

2022年1月10日　初版第1刷発行

2022年2月20日　　　第2刷発行

著者

加藤文元《かとうふみはる》・岩井圭也《いわいけいや》・上野雄文《うえのたけふみ》・川上量生《かわかみのぶお》・竹内薫《たけうちかおる》

発行者／工藤秀之

発行所／株式会社トランスビュー

〒103-0013　東京都中央区日本橋人形町2-30-6

電話　03-3664-7334

URL　http://www.transview.co.jp/

装丁／鈴木千佳子　イラスト／竹田嘉文

印刷・製本／モリモト印刷

Printed in Japan　ISBN 978-4-7987-0183-7　C0041